Gabrielle Roy
par elle-même

Gabrielle Roy est née le 22 mars 1909, à Saint-Boniface Manitoba. Après des études à l'Académie Saint-Joseph de Saint-Boniface et au Winnipeg Normal Institute elle se lance dans l'enseignement et sera institutrice pendant huit ans. En 1937, elle s'embarque pour l'Europe et c'est là que, cédant au goût qu'elle a toujours eu d'écrire, elle envoie à *Je suis partout* quelques articles qui sont acceptés. De retour au pays, en 1939, elle collabore au Jour, à la Revue Moderne et au Bulletin des Agriculteurs auquel elle donne une série de grands reportages. Ces années de journalisme la familiarisent avec Montréal et les graves problèmes de l'époque, aiguisent son attention, stimulent son sens de l'observation et l'amènent à écrire son premier roman, Bonheur d'Occasion.

Cette oeuvre dont l'action se déroule dans Saint-Henri quartier défavorisé de Montréal, révèle, à travers le drame bouleversant de ses personnages, l'histoire des quartiers pauvres de bien des grandes villes modernes au temps où la dépression économique et le chômage ne trouvèrent de secours que dans la guerre. Le roman connut un grand

2) succès et fut salué comme un événement littéraire. Plus d'un million d'exemplaires ont été vendus dans les seules langues anglaise et française.

En 1947, il obtenait le prix Femina. Le Literary Guild, aux États-Unis, le retint comme ~~[illegible]~~ le meilleur livre du mois, avec un tirage initial de 750.000. Depuis il a été traduit en norvégien, danois, suédois, espagnol, roumain, slovaque et russe.

Biographie de Gabrielle Roy écrite de sa main.

Note sur les illustrations :

Toutes les photographies de Gabrielle Roy contenues dans le présent volume sont d'Alain Stanké. Les lettres manuscrites dont on a reproduit les pages ou fragments de pages, sont conservées dans les archives personnelles de l'éditeur.

Page couverture : Productions Stanké

Ce livre a été publié sous le titre original
GABRIELLE ROY par G.K. Hall & Co.

ISBN 2-7604-0239-8

Dépôt légal : premier trimestre 1985

Imprimé au Canada

Gabrielle Roy
par elle-même

M.G. HESSE

Préface de Alain Stanké

Traduit de l'anglais par
Michelle Tisseyre

Stanké

CHEZ LE MÊME ÉDITEUR

Henry Miller par lui-même

Anaïs Nin par elle-même

TABLE DES MATIÈRES

« Ces livres étaient vivants et ils m'ont parlé »

Henry Miller
(Les Livres de ma vie)

NOTES LIMINAIRES EN GUISE DE PRÉFACE

Quand Gabrielle Roy a disparu, notre pensée s'est souvenue que ses livres avaient marqué notre siècle. On a réalisé que rarement un écrivain n'avait pris tant de place dans notre littérature tout en faisant si peu de bruit. Que n'a-t-on pas dit sur elle ? Éloges-clichés, images fanées, remarques toutes faites... Gabrielle Roy morte, vive Gabrielle Roy ! Avec quelle justice toute cette vénération s'est répandue occultant cependant des aspects plus profonds ou plus insolites de cette personnalité qui, décédée, ne s'appartenait plus.

Voici qu'en ce livre un nouveau regard se pose qui nous la fera découvrir autrement. C'est à travers l'analyse subtile de toute l'œuvre de Gabrielle Roy que M. G. Hesse, professeur de littérature et lectrice inconditionnelle de cet auteur, nous fait découvrir l'être multiple qui sous-tend son expression d'artiste. C'est une véritable psychanalyse de l'œuvre que nous propose ce livre tandis que des facettes profondes de la personnalité de l'auteur s'y trouvent dévoilées. C'est sous l'impulsion de deux sympathies que cet ouvrage s'est matérialisé. Celle de M. G. Hesse et celle aussi de l'éditeur car une amitié indissoluble est née dès sa rencontre avec Gabrielle Roy. De cette relation unique découlera une révélation d'autres aspects inédits de l'être sensible qu'était Gabrielle Roy.

Pour Gabrielle Roy, exercer son métier d'écrivain ne pouvait se faire que dans un contexte de sympathie et de fidélité. La nécessité donc de collaborer avec un seul éditeur — son éditeur — était une loi. Son œuvre étant la part la plus inaltérable et la plus « à vif » d'elle-même, elle se devait de la confier au public par l'intermédiaire d'un répondant ami. Je fus celui-là avec constance et plaisir durant les dix dernières années de sa vie.

Notre amitié est née très tôt, très vite. Elle était d'évidence et faisait autorité dans nos rapports.

Gabrielle Roy vivait en presque recluse, à contre-courant, loin des mondanités, barricadée entre les camouflages de sa modestie et la jalousie de sa liberté, toute consacrée à son écriture.

Donc soyez vraiment un ami un protecteur même [illegible] ne me pressez pas. Tout se fera en temps et bien si vous voulez être un peu patient. J'aimerais avoir votre vitalité ; mais maintenant il faut que je prenne garde à ce qu'il me reste d'huile dans la lampe.

J'ai hâte de voir fini Ces Enfants de nos vies. Songez-vous que vous m'avez peut-être trouvé là un plus beau titre encore que le mien !

Merci de votre bonne lettre.

Amicalement

Gabrielle Roy.

Au delà de mes relations d'éditeur-ami j'avais le rôle de filtre protecteur entre elle-même et le monde extérieur. J'étais sa boîte postale et son téléphone. Comme elle ne savait pas prononcer le mot « non » — quoiqu'elle sut le vivre — de peur de faire de la peine, et qu'elle ne voulait pas d'autre part dire « oui », j'étais donc son porte-parole : celui qui refusait en son nom interviews, conférences, présidences d'honneur et autres propositions des plus farfelues aux plus alléchantes.

« Une œuvre se suffit à elle-même », avait-elle coutume de dire. « Elle a elle-même sa propre vie. Dès qu'un livre est né, il n'appartient plus à l'auteur ! » Elle comprenait donc mal que l'on puisse attacher plus d'importance à l'écrivain qu'à ses écrits.

Je tiens à une seule chose : c'est que mes livres fassent leur chemin par leur seul mérite, aidés au besoin, par une publicité de bon goût.

Elle avait une fragilité de bibelot. Les publications littéraires et leurs clameurs lui ont souvent fait vivre des heures amères, des moments d'interrogations et de doute. Elle fut blessée par l'étroitesse d'esprit et la vanité des critiques. En ma compagnie elle devenait souvent critique de la critique.

Je regrette de vous être si peu utile dans la recherche de vieilles critiques. Les seuls au Canada français qui ont parlé, avec cœur et talent, de Bonheur d'occasion, sont, à ma connaissance ceux qui sont venus longtemps après sa parution, par exemple André Brochu, Jacques Blais. Mais il s'agit d'études [illegible] et peut-être un peu ennuyeuses. Bessette et Gilles Marcotte surtout se sont montrés l'un trop porté à sa "freuderie", l'autre à sa nature, dans le fond, frileuse.

Bonnes choses tout de même.

Mes amitiés

Gabrielle Roy

Âme d'une extrême sensibilité elle fut mortellement déçue par la publication du livre de sa sœur. Avec une confusion issue du cœur elle n'arrivait pas à comprendre en quoi sa vie — qu'elle voulait garder privée — pouvait intéresser les gens.

Même si je comprenais la curiosité et l'engouement du public pour un écrivain qui a su fabriquer de l'inoubliable, je respectais totalement sa volonté et continuais de mon mieux à lui servir de pare-brise. C'est ainsi qu'entre autres missions je dus la représenter à l'inauguration de « L'École Gabrielle-Roy ». « Vous allez avoir une école à votre nom, de votre vivant ! » lui avais-je annoncé curieux de voir sa réaction. Elle ne se fit pas attendre : « Ils croient peut-être que je suis déjà morte ! » répondit-elle en riant. « Faites en sorte de ne pas parler le premier à l'inauguration, ainsi il vous sera peut-être donné d'entendre un éloge funèbre. »

Gabrielle Roy connaissait la gloire et les honneurs. La gloire ? Elle la préférait muette, silencieuse. Quant aux honneurs — prix Fémina, prix David, prix Molson, prix Duvernay, médaille du Conseil des arts, et trois prix du gouverneur général — elle les acceptait avec la même joie qu'une mère ressent lorsque ses enfants sont honorés pour leurs réussites. D'elle-même, elle n'aurait jamais songé à solliciter une reconnaissance quelconque, même par mon intermédiaire.

Lorsque je lui avais annoncé fièrement en 1977 que « Culture et bibliothèque pour tous », à Paris, allait honorer son livre *Ces enfants de ma vie* et que notre bureau parisien allait être inondé de demandes d'interviews, elle eut ce mot : « Je suis désolée de vous créer autant d'ennuis car vous allez encore devoir dire non. Vous finirez par regretter de m'avoir comme auteur de votre maison ! »

Malgré les déceptions que le refus occasionnait je n'avais aucun regret. L'expérience m'avait démontré que Gabrielle Roy avait raison. Elle était l'unique auteur de la maison qui pouvait se payer le luxe de ne pas paraître au petit écran, de parler à la radio ou d'accorder d'entretien aux journaux. La qualité de son écriture suffisait à retenir l'attention des lecteurs pour lesquels du reste elle avait un grand respect et dont l'opinion comptait. La lettre d'un lecteur ou d'une lectrice que je lui faisais suivre l'émouvait infiniment plus que la plus élogieuse des critiques journalistiques.

L'anecdote qui la fit rire aux larmes survint le jour où je dus aller recevoir, en son nom, le grand prix du gouverneur général, à Ottawa, pour *Ces enfants de ma vie*. À la cérémonie officielle de la remise des prix (pendant laquelle Monsieur René Dionne a lu un éloge tout à fait remarquable à l'endroit de Gabrielle Roy) après la traditionnelle poignée de main du gouverneur aux récipiendaires (ou, comme dans mon cas, à leur représentant) et les applaudissements des invités d'honneur, Monsieur Jules Léger offrit une réception grandiose. La soirée tirait à sa fin. Les journalistes et les invités commençaient à quitter la salle quand soudain un invité anglophone s'avança d'un pas décidé, s'excusa d'interrompre le gouverneur général qui bavardait avec moi, me tendit la main, et dit d'une voix assurée : « Je ne veux pas quitter cette réception sans vous avoir serré la main et sans vous avoir dit toute l'admiration que j'ai pour vous… Gabriel ! »

Québec, le 28 décembre 1977

Cher Monsieur Stanké,

Je viens de me rappeler que vous m'avez parlé au téléphone il y a quelque temps de votre idée de solliciter le Grand Prix de la Ville de Montréal pour Les Enfants de ma vie. Je vous ai dit à ce moment-là que je n'y tenais pas et ne voulais pas être candidate, mais je me demande si j'ai été assez ferme, et si vous m'avez cru. J'espère donc que vous ne m'avez pas proposée pour ce prix. Car il ne faut pas com-mettre ma résolution en doute, je n'en veux vraiment pas. J'en suis venue à trouver ridicule cette course annuelle sans bon sens de prix littéraires qui me a récompensée jadis, et ailleurs, d'autres pour les livres.

À propos de prix littéraires mon sentiment est qu'un auteur ne devrait pas avoir à les solliciter. On les donne ou on ne les donne pas.

« Voilà ce qui arrive aux auteurs reclus » pensai-je sans avoir le temps de rectifier la méprise car l'admirateur avait déjà filé, sourire aux lèvres, heureux d'avoir enfin pu serrer la main (avec effusion) de son auteur favori.

En rappelant ces brefs souvenirs je suis conscient de révéler des aspects méconnus (parce qu'elle en avait décidé ainsi) de Gabrielle Roy. Je sais que l'image qu'elle projetait était sérieuse, un tantinet triste, nostalgique, pensive, voire même parfois sévère.

Elle prenait du reste un soin jaloux à préserver cette image. À preuve cette petite note qu'elle m'écrivait à propos de notre recherche de sa photo officielle.

J'ai pour principe de refuser pour la publication celles qui ne représentent franche-ment riante.

Sérieuse, elle l'était assurément. Surtout lorsqu'il s'agissait de son travail. Il lui arrivait pourtant, à l'abri des témoins, de rire à tue-tête jusqu'à en oublier le travail. Dans ce cas, le lendemain, c'était immanquable elle me téléphonait ou m'envoyait un mot dont voici un parfait et touchant exemple :

Petite Rivière St. François
le 13 juillet 1977

Cher Alain Stanké,

Nous avons bien ri, été heureux ensemble, hier et j'en garde un souvenir charmant. N'empêche que je m'aperçois, ce matin, en relisant les épreuves, que nous aurions peut-être dû travailler davantage.

À cette époque je mêlais allégrement mon métier d'éditeur à celui de journaliste à la radio, à la télévision et dans diverses publications étrangères. Mes nombreuses rencontres la captivaient au plus haut point. Au retour de mes plus importants voyages elle adoptait le rôle d'intervieweuse. Curieuse des gens que j'avais rencontrés, elle me questionnait sans fin sur leurs opinions, leurs actions, leur personnalité et ne manquait jamais de me donner son jugement personnel sur eux. Nos divagations étaient fréquentes et régulières. Nous parlions de tout, sans jamais définir les limites précises de nos bavardages. Cette relation spontanée avait une telle qualité d'échange qu'un simple témoignage écrit ne peut parvenir à rendre. Nos rapports me comblaient humainement et je n'ai jamais été capable devant elle de retenir l'enthousiasme que je ressentais. De nombreux admirateurs de l'écrivain, envieux à juste titre de notre relation privilégiée*, étaient en quête d'indiscrétions de ma part, indiscrétions que par essence notre amitié excluait totalement. Tous voulaient savoir l'inconnu, le mystère de cette femme. Comment cette grande dame inaccessible vivait-elle, la vie de tous les jours ? Le seul portrait que le public possédait d'elle était une photo de Karsh que, année après année, les journaux resservaient comme si l'image de Gabrielle Roy était inattaquable par le temps. Cela nourrissait l'illusoire vision que l'auteur et l'œuvre étaient ensemble hors du temps.

La description que Paul Guth fit un jour de Gabrielle Roy demeure pour moi la plus percutante d'entre toutes :

« D'immenses yeux verdâtres, charbonnés de mélancolie. Une bouche retenue par ces frondes qu'une âme bien née tend du fond du diaphragme. Un nez coupé noblement. Un front de lumière. »

Je ne changerais rien de ce portrait sinon que j'ajouterais quelques rides creusées par les ans qui donnaient à son visage d'avidité, de grâce et d'inquiétude, une parenté avec les femmes indiennes les plus racées.

Son visage était dessiné par la sincérité. Sa poignée de main en velours. Il suffisait qu'elle prononce trois mots pour qu'on sache immédiatement qu'on avait devant soi quelqu'un d'unique. Elle parlait en écoutant du regard. Lors d'un entretien on avait l'impression qu'elle lisait sur votre visage la suite de son récit qu'elle modulait suivant vos réactions. C'est ainsi qu'elle me regardait lorsqu'elle me lisait les « premiers jets » (qui en étaient sans doute à la dixième mouture) de ses manuscrits (*Ces enfants de ma vie*, *Courte-queue* et son autobiographie).

---

* Les très rares personnes qui avaient accès à Gabrielle Roy (dont son traducteur attitré Alan Brown, son éditeur torontois et ami de longue date Jack McClelland et son affidé François Ricard) quoique souvent talonnées par les curieux, ont toujours, elles aussi préservé la discrétion la plus totale sur la vie privée de notre amie commune.

« Je suis de ces écrivains qui n'écrivent qu'en raturant » disait-elle. Puis, cette autre remarque qu'elle me cloua dans l'oreille avec malice : « Vous remarquerez que je dis écrivain et non écrivaine ou auteure. Je ne suis pas encore tombée sur la tête ! »

Ensemble nous nous sommes beaucoup amusés. Le rire ouvrait toutes nos séances de travail.

J'ai bien hâte que soient derrière moi les corvées qui s'attachent à la publication d'un livre et de retrouver, si possible, le ton si heureux de nos rencontres au cours de l'été.

Bonne chance et amitiés.

Gabrielle Roy

J'espère que nous aurons prochainement une autre belle demi-journée comme hier. Il me semble qu'une sorte d'enchantement était entré en sourdine dans ma petite maison et nous unissait à une grande fête mystérieuse venue des fleurs, du ciel, de la marée, de partout.

À bientôt, avec mes amitiés

Gabrielle Roy

Notre amitié était telle qu'elle pouvait me charger des tâches les plus ingrates qui dépassaient largement le cadre du métier d'éditeur. Parmi les missions les plus « périlleuses », j'eus à récupérer le contrat qu'elle avait signé avec une société de film hollywoodienne pour le tournage de *Bonheur d'occasion*. Bien que les Américains lui eurent payé une grande somme d'argent pour les droits cinématographiques, le film n'avait jamais été entrepris. Entre-temps une offre venait de lui être faite par une compagnie québécoise, mais Gabrielle Roy avait égaré la copie de son contrat. La suite de l'histoire est connue de tous puisque le film fut finalement tourné, avec le succès qu'on lui connaît, par Claude Fournier et Marie-José Raymond.

Pour tous les menus services rendus hors du domaine de l'édition et pour mon rôle de protecteur en guise de témoignage de gratitude, lors d'une de mes visites dans sa résidence de Québec, elle me remit un document par lequel j'étais dorénavant mandaté pour agir et traiter en son nom pour ce qui a trait à la publication de ses œuvres.

Mais la véritable preuve de sa confiance me fut surtout donnée lorsqu'elle m'autorisa à la photographier. Ces séances furent très nombreuses et se déroulèrent à sa maison d'été, à Charlevoix. Elles lui procurèrent une joie inattendue. Elle mit grand soin pour choisir la photo qui allait devenir « officielle » :

Ainsi, vous vous souvenez du "maki" de cet été inoubliable qui me semble déjà si lointain quoique présent dans tous ses détails à mon esprit. Vous êtes venu deux fois, cet été-là, entre vos courses en bottes de sept lieues, vous recueillir avec moi au bord du fleuve. Et vous avez pris — mais non, ce fut l'été suivant! — ces autres photos de moi — entre autres celle qui fait ce mois-ci la couverture de Québec français et

Que presque tous autour de moi trouvent criante de vérité. Au fond, c'est vous qui avez pris les meilleures photos de moi, les plus révélatrices, depuis des années.

Je vous en remercie. Elles paraissent faire la joie de ceux qui ont de l'affection pour moi et ainsi me réjouissent aussi.

P.S. J'aimerais bien recevoir en effet quelques exemplaires des tirés ou quelques meilleures photos que vous avez prises de moi, sous surtout « l'être en détresse ».

Et d'un commun accord nous avons conclu que curieusement le jour où nous avons fait cette photo — à laquelle elle donna le titre « l'être en détresse » — les dieux étaient avec nous.

Gabrielle Roy semblait soulagée de savoir que nous allions dorénavant pouvoir répondre aux demandes de photos qui nous parvenaient de toutes parts. À ce propos elle m'écrivit la note qui suit et qui en dit long sur son sens de l'humour (noir ?) :

Ainsi nous serons fin prêts pour distribuer mon image aux quatre coins du monde au jour de mon départ du séjour terrestre.

Ce jour, hélas !, approchait sans que personne ne s'en rende vraiment compte. Sa santé périclitait. Elle ne trouvait plus la force d'écrire. Son mari, le Dr Carbotte semblait lui-même très pessimiste quant à l'issue inéluctable.

Ses conversations téléphoniques devenaient plus brèves et ses lettres, porteuses d'un mauvais présage :

J'ai lu votre lettre dans le Devoir.

Bravo! Cette chose m'a peinée et j'imagine facilement combien elle a dû vous affecter.

Ma santé reste fragile et précaire. Que Dieu me vienne en aide.

Je pense à vous fréquemment et avec affection

Gabrielle Roy

Cependant, elle s'inquiétait encore du tournage du film (je devais lui faire un rapport régulier sur le déroulement des opérations et la rassurer constamment sur le soin que les producteurs apportaient au respect de l'œuvre). Elle prenait toujours intérêt à la vitalité de la collection Québec 10/10 (dont elle fut l'instigatrice) et je devais lui en faire partager les développements.

(Il est sûr que dans l'aventure du Livre de poche les éditeurs auraient intérêt à allier leurs fonds, leurs énergies et leurs ressources. Mais qui aurait le cran de le vouloir, j'imagine).

Notre amitié comportait deux facettes bien identifiées entre nous. Tandis que je m'étais engagé en tant qu'ami et éditeur de faire le maximum pour la diffusion de son œuvre, Gabrielle, de son côté, se souciait sincèrement de la meilleure image de « sa » maison d'édition.

P.S. Hier, en jetant un coup d'œil sur le Devoir, j'ai éprouvé une sorte de tristesse, en voyant prise par [illegible] l'espace que vous occupiez chaque samedi au bas de la première page. J'espère que vous n'abandonnez que la place à ces requins. J'aurais de la peine à vous la voir quitter car le message publicitaire que vous y avez présenté, par son bon goût, son originalité renouvelée, sa présence frappante, fait partie en quelque sorte de l'image que projette votre Maison, et ce serait à mon avis regrettable d'en diminuer l'impact. Mais peut-être n'avez-vous cédé la place qu'à Noël ... par esprit chrétien !...

Je vous renouvelle mes souhaits

Gabrielle Roy

Elle se tenait au courant du programme d'éditions et de la publicité et participait parfois par ses appréciations, parfois par ses inspirations, à la création de nouvelles idées et même de slogans publicitaires. Ainsi avait-elle suggéré un jour le slogan suivant que nous avons fréquemment utilisé :

Alain Stanké,
un éditeur assurément pas comme les autres

Gabrielle Roy

Pour Gabrielle Roy la symbiose d'intention et d'action entre auteur et éditeur était une loi morale, la seule qui mette la création à sa juste place.

Malheureusement, petit à petit, elle semblait s'éloigner des choses concrètes de la vie. Sa mémoire donnait des signes de défaillance et bien que je n'ose pas me l'admettre, j'avais l'intuition qu'elle n'avait plus la force de lutter. J'avais beau redoubler d'ingéniosité en lui envoyant des cartes et des lettres qui en d'autres temps l'auraient déridée — rien n'y changeait rien.

À cette époque nous mettions la dernière main à la publication d'un coffret de luxe de *Miyuki Tanobe retrouve Bonheur d'occasion*. Outre dix sérigraphies l'édition comprenait un texte du peintre japonais auquel nous devions ajouter l'introduction de Gabrielle Roy. Ce projet d'édition l'emballait. Elle adorait le travail de Tanobe et tint promesse, quant à son texte, malgré sa fragile santé. Elle aurait souhaité écrire plus longuement mais l'essentiel s'y trouvait. Ce fut en réalité le dernier effort littéraire qu'elle put faire de son vivant :

Qu'elle est émouvante cette rencontre du lointain Japon avec notre grouillant et familier Saint-Henri. Aussi étonnant que cela ~~paraîsse~~ paraisse, j'ai dû, moi aussi, toujours vous connaître, chère Miyuki Tanobe. Merci affectueusement de ce beau témoignage de notre rencontre sans que nous ayons eu à voyager pour nous connaître.

Gabrielle Roy

Elle me le remit en personne, à Québec où je la visitai pour la dernière fois. « J'ai très honte de vous recevoir dans cet état », me dit-elle d'une voix brisée. « Pardonnez-moi d'avoir fait un texte si court… mais je suis épuisée. Je suis sûre que vous ne reconnaissez plus votre MAKI*… »

Un peu plus tard, j'eus ma dernière conversation téléphonique. Déjà nos échanges verbaux ne signifiaient plus l'essentiel de nos échanges profonds et ce fut au delà de paroles banales en regard aux circonstances que, tacitement, nous nous sommes dit adieu.

Merci pour votre appel téléphonique

Bonne santé! Donnez-moi

Gabrielle Roy

d'autres nouvelles

Gabrielle Roy

Quelques semaines après elle faisait son dernier voyage à Petite Rivière Saint-François d'où elle dut être ramenée d'urgence à Québec car la mort l'attendait, le 13 juillet 1983. C'était au même moment de la projection de *Bonheur d'occasion* à Moscou.

Alain Stanké

---

* MAKI, c'est le surnom que je lui avais donné dans l'intimité. Elle trouvait que ce gentil petit animal à museau pointu lui ressemblait physiquement.

La page couverture me plaît beaucoup. Je crois qu'elle rend bien en effet, le côté poignant de l'œuvre, tout en laissant paraître un peu d'espoir. La page suivante rend aussi bien.

Ci-contre : quelques exemples de corrections apportées par Gabrielle Roy pour la dernière édition de Bonheur d'occasion *(Stanké-Québec 10/10) qu'elle considérait comme ultimes :*

Par ailleurs il faut s'en tenir à des modifications minimes, dans le genre de celles que j'ai faites. Et cependant faire le plus possible puisque c'est très probablement la dernière édition de Bonheur d'Occasion que j'autoriserai.

BONHEUR D'OCCASION 213

— Où? demande-t-il, la gorge serrée.

Elle fixa l'endroit et l'heure du rendez-vous. La voix d'Eugène se fondit en un murmure. Il raccrocha, resta un instant, un coude ~~à la boîte du téléphone,~~ puis sortit, la figure très rouge, ~~et coulant autour de lui un regard furtif.~~

Il prit un air maussade

Dehors, il pensa qu'il avait deux grandes heures devant lui avant de rencontrer Yvette. Une crispation d'ennui passa sur son visage. Il s'immobilisa au bord du trottoir, se demandant comment il tromperait l'attente. La physionomie triste et lasse de sa mère revint à son esprit. ~~Il serra les mâchoires avec force~~ et, pour chasser l'~~obsession~~, se mit à marcher au hasard. Il se trouva bientôt devant les *Deux Records*, entra et demanda un paquet de cigarettes.

obsession,

Sam Latour écoutait le commentateur des nouvelles, penché vers le tout petit appareil de radio qu'il avait placé sur un rayon entre quelques cartons-affiches. Il s'approcha du comptoir en bougonnant:

— Cré bateau, ça va mal en Norvège!

Sa voix trahissait ~~une vive~~ surexcitation.

de la

— Quand est-ce qu'ils vont les arrêter, ces diables de Boches-là? fit-il comme ahuri et tout décontenancé.

— Attendez qu'on arrive, nous autres! s'écria Eugène.

Puis, avec nonchalance, il fit craquer son billet de dix dollars et le jeta sur le comptoir.

— Acré gué, te v'là dans l'argent, toi! dit Sam. Des dix, ça pas l'air de te coller aux doigts, toi.

— Y en a d'autres d'où ce que c'ui-là vient, répliqua Eugène.

Il ramassa la monnaie négligemment, une cigarette entre les lèvres et glissa les billets dans toutes ses poches.

— Ouais, poursuivit Latour, t'as l'air au-dessus de tes affaires, toi, mon jeune Lacasse.

— Il est ben temps, dit Eugène, et il s'appuya au comptoir, le bras posé sur le bois franc, les jambes croisées, le visage tourné vers la salle, dans une attitude toute semblable à celle d'Azarius.

Sous le front bas, planté de cheveux serrés et ondulants, ses yeux pétillaient de vanité. Du même bleu que ceux d'Azarius, mais plus rapprochés du nez étroit et court, moins francs et moins directs, ils donnaient à son visage une tout autre exde la barbotte, de la carpe et, la voyant rétive, s'amusait à vouloir lui faire toucher de ses petits doigts une longue anguille qui nageait dans un bassin. Oh, comme c'était loin tout ça, le samedi soir au marché! Et comme c'était fou d'y repenser maintenant. C'est vrai pourtant qu'elle avait été une enfant heureuse et choyée. Il y a des enfants riches qui n'ont jamais eu ce qu'elle avait possédé, toute jeune: les graves recommandations de Rose-Anna au départ. « Fais bien attention à la petite », disait-elle cent fois au moins, car on l'avait appelée « la petite » jusqu'à ce qu'elle eût atteint ses douze ans — sa petite main confiante dans celle d'Azarius. Et la conversation de son père tout au long du chemin! Et la complicité qui s'établissait entre eux quand il lui serrait la main un peu plus fort entre sa paume large et douce et disait: « Ta mère a dit qu'elle ne voulait pas de crème, mais si on en achetait quand même, hein, pour voir son plaisir demain en mangeant la soupane! »

Aurait-elle pu continuer à être heureuse si elle avait suivi ce même chemin? Mais non, quelle folie! Son choix, elle l'avait fait, sachant bien qu'elle ne pouvait pas plus le refuser que s'arrêter de respirer. Et même encore maintenant, si c'était à recommencer...

Revenue au point de départ de ses pensées, Florentine crispa la bouche, serra les dents avec une telle force qu'elle en parut tout enlaidie. Toutes ces réflexions ne l'aidaient pas. A quoi bon, à quoi bon! Elle eût voulu crier le mot à force de rancœur contre ce vague attendrissement qui l'avait saisie.

Elle allait très vite maintenant, les lèvres contractées, les yeux fixes, et elle cherchait un plan pratique, elle cherchait, insoumise à toute humilité, un espoir qui la mettrait à l'abri de sa terreur. Qu'importait le reste. C'était de sa terreur qu'elle voulait être délivrée.

Continuant à descendre vers le canal, elle fut bientôt environnée d'un grand bruit de chaînes et des éclats répétés d'une sirène. Au bas de la place du marché, où la halle dresse sa tour ocre et sa crête dentelée, au bas de la rue Saint-Ambroise, le pont tournant s'écartait de la chaussée; entre deux longues files d'autos et de camions immobilisés, Florentine vit s'avancer la cheminée d'un cargo.

différence. Je les ai mis au lit le plus vite possible, tu comprends. Le train qu'ils faisaient avec les autres enfants, — ceux de c'te femme-là, je sais pas encore son nom... Le train, c'était à devenir fou! »

Elle s'arrêta subitement et regarda Florentine figée devant elle et qui ne semblait rien entendre.

— D'où viens-tu si tard? demanda-t-elle.

Mais elle n'attendait point de réponse. Est-ce qu'il y avait encore des réponses que l'on pouvait obtenir du fond de ce gouffre où on était enfermé si loin de toute oreille humaine qu'on aurait pu crier des jours et des jours sans arracher à l'isolement autre chose qu'un faible écho de sa peine?

Rose-Anna fixait obstinément un point usé du linoléum. Et soudain, sur un ton lâche, mou, fatigué, elle se mit à énumérer leurs malheurs comme si elle se plaisait enfin à les reconnaître tous, les anciens, les nouveaux, les petits, les grands, ceux qui dataient de loin déjà, ceux qui étaient tout récents, ceux qui étaient engourdis au fond de la mémoire et ceux qui palpitaient dans le cœur, au trou d'une blessure fraîche.

— Ton père, disait-elle, ton père qui devait trouver une maison! Tu le connais, ton père! Il nous tient comme ça jusqu'à la dernière minute avec des fausses espérances. Des fausses espérances! Il devait trouver une maison à l'entendre. A l'entendre! Une bonne maison! Il faut que ça soit moi qui m'occupe de toute. Mais comment est-ce que j'aurais pu faire. J'ai passé tout mon temps à l'hôpital... Daniel, qui est à l'hôpital, se crut-elle obligée de rappeler comme si elle eût perdu l'écheveau embrouillé qu'elle dévidait. Daniel, pis Eugène!... Qu'a ce qu'on avait affaire aussi d'aller aux sucres! C'est depuis ce temps-là que Daniel est malade. Nous autres, on est pas né pour la chance. A c'te heure, rendu au mois de mai, les maisons sont quasiment pus trouvables... Où c'est qu'on va se loger?...

Mais voici que derrière ces malheurs, ces inquiétudes clairement énoncées, elle en voyait d'autres, toute une légion qui se levaient à chaque détour de ce dédale qu'elle suivait. Alors elle se tut. Et d'avoir tant de douleurs secrètes porta Rose-Anna à la compassion. Elle n'en espérait plus pour elle-même, mais à donner autour d'elle, elle en avait encore.

pas

n'est

est-ce

par un enchaînement fatidique, sont destinées à n'abriter que des êtres éprouvés.

Elle ne l'avait pas vue encore en vérité. Ils avaient oublié les ampoules électriques et c'était à la flamme du briquet d'Azarius et de nombreuses allumettes qu'ils s'étaient sommairement installés.

Elle ne l'avait pas vue, mais elle l'avait flairée, elle l'avait pressentie à l'odorat, au toucher, à l'oreille surtout. Puis, subitement, un peu après minuit, elle l'avait sentie ~~remuer violemment~~ à l'approche d'un train. Alors, elle avait compris et, avec cette bonne volonté courageuse qui la soutenait, elle s'était du même coup résignée. Il fallait bien qu'il y eût un inconvénient. Il y avait toujours un inconvénient. Des fois, c'était l'ombre; des fois, c'était le voisinage d'une usine; d'autre fois, c'était l'exiguïté du logement; ici, c'était la proximité du chemin de fer.

La maison, tout à l'heure, dans un tremblement sourd, dans ~~une folle agitation de ses carreaux disjoints, de toute sa monture affolée,~~ lui avait révélé son ~~pénible secret~~.

« Pas étonnant, songeait Rose-Anna, qu'on l'a eue pas cher. Si près des tracks, c'est quasiment pas habitable. Ce bruit-là, je m'y habituerai jamais. » Et cependant, elle ne perdait pas pied. Pas encore. Elle ne renonçait jamais si vite. « Il doit y avoir des avantages avec les désavantages, pensait-elle. C'est au matin que je verrai comme il faut. Là, il faut pas se dépêcher de tout voir en noir. »

Auprès d'elle, Azarius remua. Elle se pencha un peu vers lui et mit la main doucement sur son bras pour voir s'il dormait. Il tressailit aussitôt.

— Tu dors pas, hein? dit-elle d'une voix triste.

— Non.

Un long silence. Puis elle demanda:

— Tu jongles, toi aussi?

Il marmotta une réponse vague et enfouit son visage dans l'oreiller. Le sommeil le fuyait.

C'était maintenant à chaque instant du jour et de la nuit qu'il mesurait sa faillite. Et même la misère des siens qu'il n'avait pas voulu voir pendant des années commençait à lui devenir familière, mais elle lui devenait familière à la façon

longuement frémir

l'agitation de ses vitres disjointes dans l'ébranlement de ses fondations

triste sort

Couverture de la dernière édition de Bonheur d'occasion *publiée à l'occasion de la sortie du film.*

Que vous souhaiter, à mon tour, à vous à qui tout semble réussir? Beaucoup de bons auteurs, bien sûr! Qu'ils viennent à vous en toute confiance pour former avec vous, petit à petit, de ces belles grandes familles auteur-éditeur comme il y en avait naguère. Pour le reste, vous l'avez, je crois bien, qu'à continuer sur votre lancée, pour relever, comme vous semblez vous y plaire, les défis qui se présentent à vous.

Je vous souhaite, cependant surtout des heures calmes sans lesquelles rien ne vaut.

Je vous souhaite, à partager avec votre famille et ceux qui vous sont chers, un Joyeux Noël — rétroactif? — et une heureuse année.

En toute amitié

Gabrielle Roy.

Alain Stanké,

un éditeur assurément pas comme les autres

Gabrielle Roy

Québec, le 20 septembre 1978

Cher ami,

Comme toujours, le plaisir de vous parler au téléphone m'a réjouie et rajeunie.

N'oubliez pas de demander à [illegible] de me retourner à moi les diapositives et photos. Ou bien s'il vous les retourne à vous, envoyez-les moi aussitôt. Je ne veux pas courir le risque d'être longtemps sans ces témoignages — d'heureux instants que vous avez si bien fixés.

Avec mes souvenirs les meilleurs Gabrielle Roy

La maison d'été de Gabrielle Roy à Petite-Rivière-Saint-François, près de Baie Saint-Paul.

« Au diable les entraves, vive le relâchement. Puisqu'on ne se bagarre jamais dans la réalité », avait dit Gabrielle, « on pourrait au moins le faire une fois, à l'abri des témoins, pour le bénéfice de la caméra insolente ! »

De sa modeste maison d'été Gabrielle Roy avait cette vue imprenable du fleuve.

Pour illustrer la page couverture de La Montagne secrète *nous avons utilisé l'auto-portrait de René Richard que le peintre a bien voulu nous retrouver dans ses archives lors d'une visite à Baie Saint-Paul.*

Sur la photo, Gabrielle Roy en compagnie de René Richard qu'elle rencontrait pour la dernière fois.

Québec, le 16 septembre 1980

Cher ami

J'ai reçu les photos couleurs. Elles sont exceptionnelles. J'aimerais bien voir ce qu'elles donneraient en noir et blanc. Serait-il possible de m'en faire faire quelques-unes? Souvent on m'en demande de ce format passeport? M'en feriez-vous faire quelques-unes de ce format.

Cher ami [illegible] – vous
a [illegible] une photo
pour les accommoder

Gabrielle Roy

Merci. Bonjour amical.
Gabrielle Roy

Le sourire de Gabrielle Roy était radieux et pourtant jamais aucune photo ne la montrait ainsi. Voici pourquoi :

J'ai pour principe de refuser pour la publication celles qui me représentent franche- ment riante.

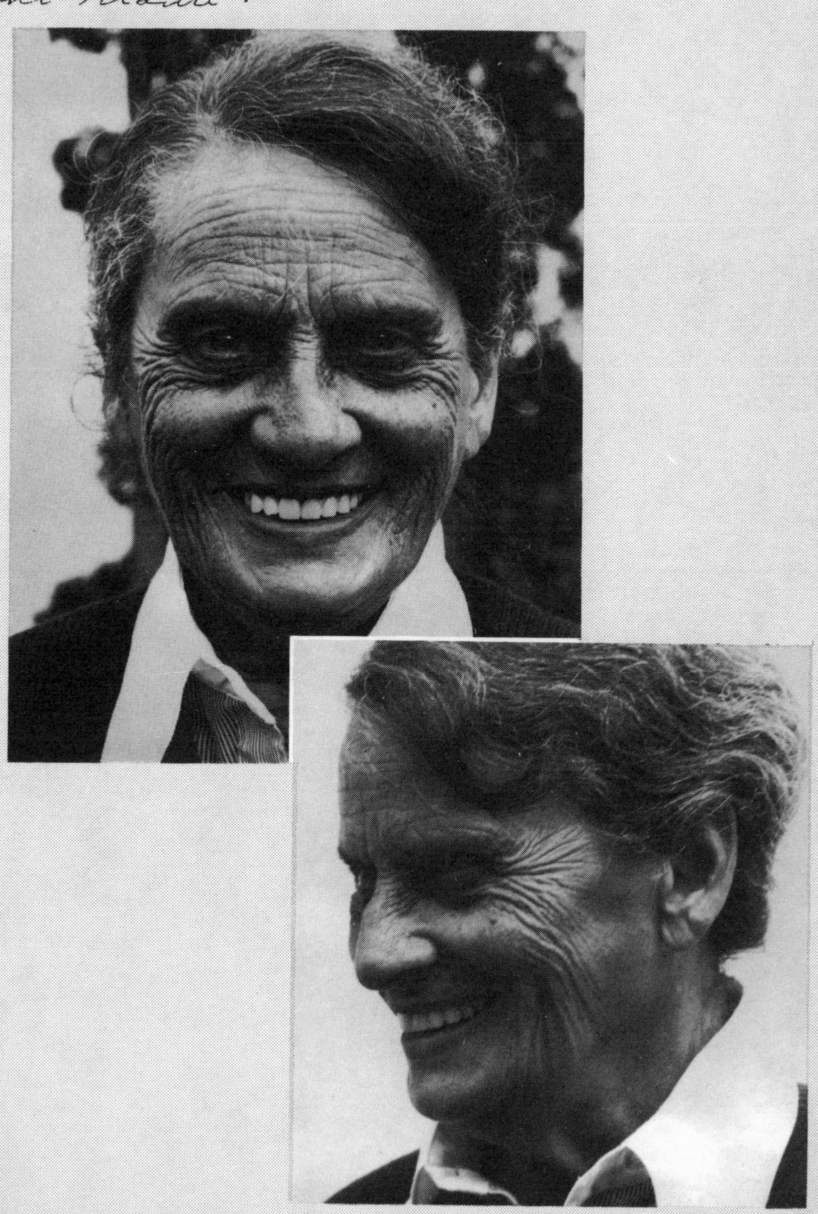

Ci-contre : la photo qui, selon le vœu de Gabrielle Roy est devenue désormais sa photo officielle. Elle lui donna le titre de « l'être en détresse ».

Pour ma mère, E. Gertrud Hesse,
avec amour et reconnaissance

AVANT-PROPOS

Cette introduction à l'étude de l'œuvre de Gabrielle Roy se veut une analyse critique accentuant, selon le caractère de chaque livre, tantôt l'intrigue, tantôt la caractérisation, tantôt les thèmes. À la lumière de l'art de Gabrielle Roy, nous avons cru plus approprié de laisser à une autre étude, davantage spécialisée, toute discussion détaillée touchant à la structure de l'œuvre et à son style.

L'immense succès de *Bonheur d'occasion* a apporté à Gabrielle Roy une gloire internationale presque immédiate et sans précédent pour un écrivain canadien. Presque du jour au lendemain, elle s'est en effet vu attribuer en France le prestigieux prix Fémina (1947), et au Canada, la même année, le prix du gouverneur-général pour la version anglaise intitulée *The Tin Flute*. Ce premier roman fut également l'objet d'un choix, aux États-Unis, par la Literary Guild. Aucun autre écrivain canadien n'avait joui jusqu'alors d'une aussi vaste renommée.

Gabrielle Roy est sans contredit l'un des écrivains les plus respectés et les plus lus au Canada. Alors que ses livres sont très bien connus, elle-même est longtemps demeurée dans l'ombre. Très tôt dans sa carrière, elle avait en effet décidé de quitter la scène afin de donner libre cours à son génie créateur. Ses livres, avait-elle résolu, parleraient pour elle.

Pourtant une grande partie de l'œuvre de Gabrielle Roy est de nature très personnelle, notamment les nouvelles semi-autobiographiques de *Rue Deschambault* et de *La Route d'Altamont*, ainsi que *La Montagne secrète*, où se trouve incarnée sa philosophie de l'art. Cette étude commence donc, par une biographie, dans le but de familiariser le lecteur avec les origines de l'auteur et de retrouver ses sources d'inspiration si profondément implantées dans son expérience canadienne.

La décision de Gabrielle Roy de s'établir au Québec et d'écrire en français lui fut dictée par sa fidélité à son héritage français, toujours aussi vibrant en elle.

Nous n'avons pas cru bon d'observer ici l'ordre chronologique, afin de nous concentrer sur l'unité fondamentale de l'œuvre. Notre auteur a toujours eu, en effet, pour souci primordial, d'apporter à ses lecteurs « plus de connaissances, plus de sympathie, plus d'amour »[1].

Dans les « romans de la ville », au chapitre II, nous traitons de *Bonheur d'occasion* et d'*Alexandre Chenevert*. L'auteur nous présente dans le premier de ces deux romans, une fresque sociale d'un réalisme sans compromis dont les personnages sont les défavorisés de Montréal, la métropole canadienne, pendant la Crise et au début de la Seconde Guerre mondiale. Dans *Alexandre Chenevert,* Gabrielle Roy rétrécit et en même temps élargit sa vision. Observant le modeste caissier se poser des questions sur le sens de la vie et le mystère de la souffrance, le lecteur reconnaît bientôt dans le héros, à la fois Monsieur Tout-le-Monde et un être exceptionnel. L'excellence du style de ces deux œuvres de jeunesse, qui datent des premières années de la carrière de l'auteur, illustre magnifiquement la sympathie que Gabrielle Roy éprouve pour autrui et le talent qu'elle met à nous la communiquer.

C'est dans « Intermèdes idylliques », au chapitre III, qu'est la première de ses œuvres situées au Manitoba, *La Petite Poule d'Eau*. Ce charmant récit évoque une petite île du nord du Manitoba où Gabrielle Roy enseigna un été. Puisant dans ses souvenirs de 1930, l'auteur recrée pour ses lecteurs avec un humour rare la vie idyllique des Tousignant. Le sentiment de nostalgie qui court en filigrane dans cette œuvre semble nous dire que, aussi utopique que puisse paraître cette vie, elle aurait pu ou pourrait être à la portée de tous. Ce sentiment est encore plus fort dans *Cet été qui chantait*. Ici toutefois ce sont les animaux et les plantes qui prennent la vedette, le rôle de l'homme se limitant à celui d'observateur.

Rue Deschambault et *La Route d'Altamont,* étudiés au chapitre IV, sont les livres préférés de beaucoup de lecteurs de Gabrielle Roy. Dans les deux cas, l'auteur, par le truchement de Christine, nous fait faire un pèlerinage dans son passé. En « transfigurant » des incidents de son enfance et de son adolescence, Gabrielle Roy entraîne ses lecteurs ravis dans cette rue Deschambault rencontrer ses personnages et observer ses événements quotidiens. L'enfant sensible découvre un monde d'amour et de sécurité, de joies et de chagrins, de vérité et d'hypocrisie. L'importance de l'enfance, les relations entre les jeunes et les vieux, et les sources des aspirations artistiques de Christine sont d'un très grand intérêt dans ces nouvelles.

Comme le suggère le titre du chapitre V, « Le credo d'un artiste », *La Montagne secrète,* traite de la vocation de l'artiste. Le choix d'un peintre comme modèle et interprète de ses pensées donne à l'auteur une plus grande liberté mais représente aussi un défi.

En tant que roman, c'est la moins bien réussie de ses œuvres. *La Montagne secrète* est cependant essentielle à la compréhension du processus créateur tel que le conçoit l'auteur : notamment en ce qui a trait à la découverte de soi, la recherche de la perfection et le rôle de l'artiste dans la société à l'égard de ses semblables.

« Des mondes en conflit », chapitre VI, marquent jusqu'à un certain point un retour à *Bonheur d'occasion*. Le conflit que vivent les Inuit entre leurs traditions et le mode de vie de l'homme blanc soulève l'indignation de l'auteur de *La Rivière sans repos*. La compassion qu'éprouve Gabrielle Roy envers ses semblables malheureux est ici illustrée par le portrait magistral d'une mère inuit. La perte de son fils, dont le père était blanc, symbolise l'existence tragique de ces peuples du Grand Nord. La mise en accusation des valeurs de l'homme blanc est d'autant plus efficace que la romancière évite de tomber dans le genre didactique.

Dans le chapitre VII, « La mosaïque canadienne », nous analysons *Un jardin au bout du monde* et *Ces enfants de ma vie*. Dans ces deux recueils de nouvelles, Gabrielle Roy s'inspire à nouveau de sa vie manitobaine. Son héritage canadien-français et la situation de son père, agent d'immigration, l'ont rendue énormément consciente de l'identité multinationale du Canada. Cette conscience a su s'exprimer de façon impérissable autant en profondeur qu'en étendue. Gabrielle Roy se sent contrainte d'écouter l'ordre muet de ces gens, de raconter leur histoire (« tell their story ») afin qu'ils vivent. En faisant le récit de ces êtres qu'isolent des barrières personnelles et sociales, ou culturelles et linguistiques, Gabrielle Roy est motivée par sa foi en la fraternité humaine.

Cette étude se termine par une évaluation de l'œuvre de Gabrielle Roy. Parce que cette œuvre est, d'une part, représentative de ce que la littérature canadienne compte de meilleur et que, d'autre part, ces récits si profondément enracinés dans l'expérience canadienne de l'auteur expriment cependant des valeurs universelles, Gabrielle Roy mérite un vaste public international.

Durant la préparation de cet ouvrage, j'ai pu bénéficier du soutien de l'université de Lethbridge et du Conseil canadien de la recherche en sciences sociales et dans les humanités.

M. G. Hesse

LE FONDS GABRIELLE ROY

Par testament, Gabrielle Roy a légué la totalité de ses droits d'auteur à une petite société sans but lucratif, le *Fonds Gabrielle Roy,* dont elle a désigné elle-même les administrateurs: Marcel Carbotte (son mari), Renée Dupuis, André Major, Gilles Marcotte, Pierre Morency et François Ricard. La société a pour rôle d'administrer la succession de l'écrivain et d'en verser les revenus à des organismes humanitaires.

POINTS DE REPÈRE

1909 Naissance de Gabrielle Roy, le 22 mars à Saint-Boniface, Manitoba, Canada, la benjamine de Léon Roy, officier d'immigration du gouvernement, et de Mélina Landry.

1915-1927 Études à l'académie Saint-Joseph de Saint-Boniface.

1927 Mort du père de Gabrielle Roy.

1927-1929 Cours d'enseignante à l'Institut normal de Winnipeg.

1929-1937 Enseigne dans diverses écoles, dont La Petite Poule d'Eau.

1937-1939 Vit en Europe. Voit publier ses premiers articles de journaux.

1939 Revient au Canada et décide de vivre à Montréal. Poursuit sa carrière de journaliste.

1943 Mort de la mère de Gabrielle Roy.

1945 *Bonheur d'occasion.*

1946 Médaille Richelieu de l'Académie canadienne-française.

1947 Prix Fémina et médaille Lorne Pierce de la Société royale du Canada. Prix du gouverneur-général (qui n'était attribué à l'époque qu'aux œuvres écrites en anglais) pour *The Tin Flute,* version anglaise de *Bonheur d'occasion. The Tin Flute* est sélectionné par la Literary Guild of America. Est élue à la Société royale du Canada, la première femme à être ainsi honorée. Épouse le docteur Marcel Carbotte.

1947-1950 Séjour en France.

1950 *La Petite Poule d'Eau.*

1950-1952 Revient au Canada et habite Montréal.

1952 S'établit de façon permanente dans la ville de Québec.

1954 *Alexandre Chenevert.*

1955 *Rue Deschambault.*

1956 Prix Duvernay de la Société Saint-Jean-Baptiste du Québec pour son œuvre.

1957 Prix du gouverneur-général pour *Street of Riches,* version anglaise de *Rue Deschambault.*

1961 *La Montagne secrète.*
1966 *La Route d'Altamont.*
1967 Compagnon de l'Ordre du Canada.
1968 Médaille du Conseil des arts du Canada pour son œuvre.
1970 *La Rivière sans repos.*
1971 Prix David accordé par le gouvernement du Québec pour son œuvre.
1972 *Cet été qui chantait.*
1975 *Un jardin au bout du monde.*
1976 *Ma vache Bossie,* un conte pour enfants.
1977 *Ces enfants de ma vie.*
1978 Médaille du gouverneur-général pour *Ces enfants de ma vie. Fragiles Lumières de la terre,* collection de divers écrits publiés entre 1942 et 1970.
1979 *Courte-Queue,* un conte pour enfants.
1980 Prix du Conseil des arts du Canada, pour *Courte-Queue,* dans la catégorie des livres pour enfants.
1982 *De quoi t'ennuies-tu, Éveline ?*
1983 Mort de Gabrielle Roy le 13 juillet, à Québec.
1984 La *Détresse et l'Enchantement,* autobiographie publiée à titre posthume.

CHAPITRE PREMIER

L'ÉVOLUTION D'UN ÉCRIVAIN

Des débuts heureux

Christine, le principal personnage de *Rue Deschambault* qui souvent exprime la pensée de Gabrielle Roy, s'efforce de définir ses aspirations en contemplant le choix d'une carrière : « Et le bonheur que les livres m'avaient donné, je voulais le rendre. J'avais été l'enfant qui lit en cachette de tous, et à présent je voulais être moi-même ce livre chéri entre les mains d'un être anonyme, femme, enfant, compagnon que je retenais à moi quelques heures. »[1] Il est heureux pour les lecteurs de Gabrielle Roy que le rêve de Christine ait été si magnifiquement réalisé par sa créatrice.

Bonheur d'occasion, le premier roman de Gabrielle Roy, reçut le prix Fémina en 1947. En décernant ce prix prestigieux, fondé en 1904, à un écrivain canadien-français, le jury honorait pour la première fois un auteur étranger. En 1946 déjà, Gabrielle Roy s'était vu décerner la médaille de l'Académie canadienne-française. Aux États-Unis, la Literary Guild arrêta son choix sur la traduction anglaise de *Bonheur d'occasion,* publiée sous le titre *The Tin Flute*. Gabrielle Roy acquérait ainsi, dès ses débuts de romancière, un vaste auditoire international. Cette reconnaissance accordée à un premier roman récompensait un auteur qui avait fait son apprentissage dans le journalisme en France et au Canada. Elle lui donna l'élan et la confiance nécessaires à la poursuite de sa carrière littéraire.

Les lecteurs et les critiques commencèrent alors à se demander qui était Gabrielle Roy. Leur curiosité ne devait jamais être complètement satisfaite, ni alors, ni plus tard. Ayant interviewé Gabrielle Roy en 1950, un collègue romancier, Ringuet[2], concluait qu'il n'avait jamais connu quelqu'un « de plus secret, de plus ennemi de soi »[3]. Sa conception de l'art renforce d'ailleurs sa réticence naturelle à révéler au public quoi que ce soit d'elle-même ou de sa vie privée : « Le devoir d'un écrivain est d'écrire. Ses livres parlent pour lui »[4], disait-elle. Les quelques interviews qu'elle accorda, en français ou en anglais, au cours des trente-cinq dernières années de sa vie, de même que divers « souvenirs » permettent cependant de saisir la relation qui existe entre sa vie et son talent créateur. Lorsqu'elle évoque les gens et les événements qui ont peuplé son enfance et sa vie de jeune adulte, elle identifie pour nous les plus importantes sources d'inspiration de son oeuvre. Nous nous rendons compte à quel point elle a su marier « Poésie et Vérité » (Gœthe appelait ainsi sa propre autobiographie), notamment dans ses deux collections de portraits et de nouvelles semi-autobiographiques que sont *Rue Deschambault* (1957) et *La Route d'Altamont* (1966).

Étant donné le profond attachement que Gabrielle Roy manifeste envers la Prairie qui l'a vue naître, et la source d'inspiration que fournit son enfance à une grande partie de son œuvre, nous devons étudier ses origines d'un peu plus près.

Les origines

Gabrielle Roy naquit en 1909, à Saint-Boniface, au Manitoba, enclave française de l'Ouest canadien majoritairement anglophone. Elle y grandit dans une famille unie, fidèle aux traditions et y acquit un respect et un attachement profonds pour son héritage français et québécois, de même qu'une conscience ardente du langage et de son importance.

Gabrielle Roy nous fait sentir, dans *Rue Deschambault* et *La Route d'Altamont,* combien elle s'identifiait au passé de ses ancêtres. C'est pour cette raison qu'elle comprenait si bien les nombreux immigrants, dont la vision d'avenir est si intimement liée au besoin de conserver leurs racines, ainsi qu'on le constate à la lecture, par exemple, de sa collection de nouvelles intitulée *Un jardin au bout du monde* (1975).

Ses grands-parents maternels étaient venus au Manitoba du Québec. La nostalgie qu'ils éprouvaient en songeant aux Laurentides de leur province natale, décida du site de leur nouveau foyer. Mais le grand-père devait être déçu. Les collines de Pimbina n'étaient pas de nature à calmer le mal du pays dont souffrait sa femme. Gabrielle Roy attribue à son grand-père le trait familial qui consiste à aimer également la plaine et la montagne. Sur le plan artistique, cette ambivalence prend pour elle une signification particulière : « … un amour partagé… une inépuisable source de rêves, d'aveux, de départs et de « voyagements » comme peu de gens en convient autant que nous, famille, s'il en fut jamais, de chercheurs d'horizon. Et c'est évidemment dans leur amour ambivalent que les artistes et les autres trouvent leurs maux et leurs trésors. »[5] Cet amour de la prairie et des montagnes, ainsi qu'on le notera dans nos discussions au sujet de *Rue Deschambault* et *La Route d'Altamont,* sert d'inspiration à plusieurs anecdotes remplies d'humour et de nostalgie.

Bien que Gabrielle Roy n'ait jamais connu son grand-père, celui-ci devint pour elle une présence vivante. Les souvenirs que la famille évoquait de ce pionnier fascinaient le futur écrivain, « chacun… le peignant à sa propre image »[6]. L'interprétation personnelle ou l'embellissement représentent un aspect essentiel de l'art de Gabrielle Roy. L'idée que « l'artiste ajoute quelque chose de lui-même à sa création » — ainsi que le note la romancière en contemplant le portrait qu'a fait d'elle l'artiste québécois Jean-Paul Lemieux[7] — prend parfois une telle importance dans son œuvre que la distinction entre le réel et l'imaginaire en est oblitérée. Ainsi, l'auteur décrit Sam Lee Wong, l'un des principaux personnages de *Un jardin au bout du monde* comme étant « ... sans doute le plus solitaire de mes créatures jamais rencontrées ou inventées »[8].

Le contraste entre ses grands-parents lui paraissait si frappant que ses souvenirs de sa grand-mère évoquent une idée de force, reliée visuellement à l'image des grands silos à grain de la prairie. Dans la première nouvelle de *La Route d'Altamont,* « Ma grand-mère toute-puissante », l'auteur rend un hommage affectueux, mi-romancé, à cette femme au cœur fier.

Les parents de Gabrielle, Léon et Mélina Roy, avaient aussi des natures très différentes. Comme nous le verrons plus loin, l'auteur s'est servi de certains de leurs traits de caractère dans *Rue Deschambault,* notamment dans la nouvelle au titre révélateur : « Le Jour et la Nuit ». La gaieté inaltérable de la mère contrastait avec la mélancolie de son mari plus âgé, apparemment attribuable aux épreuves endurées dans sa jeunesse.

Ce fils de pionniers, parti de rien, devait devenir un agent de colonisation du gouvernement fédéral, tenu en haute estime par les Ruthènes, les Doukhobors, Mennonites et Huttérites dont il supervisait l'établissement, principalement en Saskatchewan. Sa grande compréhension et la sympathie qu'il éprouvait envers ces colons de nationalités si diverses étaient dues en grande partie à ses propres origines. Il fut malheureusement poussé à prendre prématurément sa retraite en 1913, refusant de changer d'allégeance politique lorsque les Progressistes conservateurs et leur chef Robert Borden furent portés au pouvoir en 1911. Léon Roy fit ainsi un sacrifice qui allait au-delà des privations imposées à sa famille. Les souvenirs les plus émouvants que Gabrielle Roy a gardés de son père (un homme désillusionné, brisé de corps et d'esprit à l'époque où sa benjamine le connut), elle les a recréés de façon poignante dans la nouvelle « Petite Misère », de *Rue Deschambault.*

Gabrielle Roy reconnaît en elle-même non seulement la tendance à la mélancolie de son père mais aussi la nature enjouée de sa mère. Elle évoque avec ravissement l'esprit d'aventure de celle-ci et le voyage inoubliable qu'elle dut entreprendre, encore fillette, pour atteindre son nouveau chez-soi.

Par ses innombrables anecdotes s'y rapportant, Mélina Roy transmit à sa dernière-née l'enchantement de ce voyage en terre inconnue qui lui apparut comme une traversée de mers inexplorées. Les lecteurs de *Rue Deschambault* et de *La Route d'Altamont* en témoigneraient : Gabrielle Roy a toujours gardé intact l'enchantement de son enfance. Elle accepte à la fois le besoin de sa mère d'enjoliver les choses, et les inquiétudes de son père, face à ce manque d'intégrité. « Ils avaient tous deux raison. »[9]

Réussir à réconcilier les différences devint pour Gabrielle Roy une source d'inspiration majeure.

La vie et l'œuvre de l'écrivain

Gabrielle Roy était la plus jeune de onze enfants. Mais comme les huit survivants avaient déjà quitté la maison pour aller à l'école ou à leur travail, « la petite dernière » — terme d'affection par lequel on la désigna pendant longtemps — avait le sentiment d'être fille unique.[10] Les années d'enchantement de son enfance, rue Deschambault, devaient représenter pour elle une période inégalée de « bonheur, de sécurité et de fascination pour l'inconnu »[11], et ont eu sur elle une telle influence, qu'elle en déduit que : « Les images les plus sincères de mes pages les plus vraies me viennent toutes, j'imagine, de ce temps-là. »[12]

L'inconnu fut d'abord pour elle la ville de Winnipeg, voisine de Saint-Boniface. Là se rencontraient, avant qu'on ne les disperse dans l'Ouest, des immigrants venus de nombreux pays. L'enfant était naturellement fascinée par le son étrange de leur langue, leur façon de s'habiller et leurs coutumes. Elle trouvait merveilleux d'habiter si près de ces gens et de ces mondes dont son père avait si souvent parlé. Comme Léon Roy partageait avec sa famille quelques-unes de ses expériences, tous avaient l'impression d'accueillir dans leur propre foyer « ses » petits Ruthènes, « ses » Doukhobors, « ses » Mennonites, et toutes les autres nationalités. Par ses anecdotes touchant leur vie quotidienne et l'admiration que suscitaient en lui leur ardeur au travail et leur quête de liberté et de paix, Léon Roy éveilla chez sa plus jeune fille un intérêt pour les divers groupes ethniques du Canada dont elle ne devait jamais se départir. Reconnaissante, Gabrielle Roy attribua sa compassion et son acceptation des autres aux expériences de son enfance. Rien d'étonnant alors à ce qu'elle soit devenue l'écrivain canadien le plus universel, campant dans son œuvre des représentants de tant de nationalités, particulièrement dans ses premiers articles de journalisme, dans *Rue Deschambault, Ces enfants de ma vie* et *Un jardin au bout du monde*.

Ainsi Gabrielle Roy a-t-elle pu, mieux qu'aucun autre écrivain canadien, combler le vide entre les « deux solitudes »[13], entendons entre Canadiens francophones et anglophones, mais aussi entre Est et Ouest canadiens. Plus que tout autre écrivain, elle est devenue le porte-parole de la mosaïque canadienne, s'adressant au bout du compte à un public international.

Le respect dont témoignaient les Roy envers l'identité culturelle des immigrants au Canada avait ses racines dans leur attachement au Québec, « la mère-patrie »[14]. Gabrielle Roy affirme que: « Le Québec, c'était mon passé indéniable, ma fidélité, ma continuité, une part de l'âme, nostalgique et peut-être même comme inguérissable. »[15] Mais le gouvernement de la province du Manitoba refusait de sanctionner officiellement les efforts des Canadiens français pour cultiver leur héritage linguistique. Deux mondes opposés entraient ainsi souvent en conflit. « Nous travaillions en anglais, et, de retour à la maison, nous parlions français. Nous jouions en français, nous priions en français, nous pleurions en français. »[16]

À l'académie Saint-Joseph où l'enseignement était confié aux sœurs des Saints Noms de Jésus et de Marie, les matières les plus importantes, « ... celles qui avaient trait à l'âme, à la religion, à notre histoire à nous »[17], ainsi que la littérature française étaient enseignées en français ; le reste était dispensé en anglais. Le programme d'enrichissement visant à préserver l'héritage culturel et linguistique des Canadiens français comportait certains risques pour les enseignants, l'enseignement du français n'étant pas admis par le ministère de l'Éducation de la province. L'ingéniosité dont faisaient preuve les religieuses pour satisfaire et l'establishment anglophone et l'Église catholique romaine — deux mondes apparemment irréconciliables — est demeurée associée dans la mémoire de l'auteur à la pratique consistant à faire disparaître, lors de la venue de visiteurs anglophones, le portrait de l'archevêque accroché au mur de la classe et à le remplacer par celui des Pères de la Confédération.

Les livres, bien entendu, ont toujours exercé une grande influence sur Gabrielle Roy. Étudiante, elle lisait « Thomas Hardy, George Eliot, Milton, Shakespeare,... Keats, Shelley, Coleridge »[18]. Parmi les ouvrages russes, *Les Âmes Mortes* de Gogol lui semblaient familières à cause des étranges récits que son père faisait de « ses » colons. Gabrielle Roy découvrit pareillement, ou plutôt redécouvrit, dans *La Steppe* de Tchekhov, un monde apparenté au sien, un monde surtout associé dans son esprit à sa mère.

Daudet, Balzac, Proust, Colette, Mauriac, Bernanos, Camus, Montherlant et Julien Green ne représentent que quelques-uns des auteurs qu'elle devait admirer plus tard. Chez les Scandinaves, ses préférés étaient Selma Lagerlöf et Sigrid Undset, Knut Hamsun et Pär Lagerkvist ; et parmi les écrivains de langue anglaise, elle nomme Shakespeare, Virginia Woolf, Thomas Hardy, et chez les Américains, Thomas Wolfe.[19]

Gabrielle Roy fût aussi profondément influencée par le théâtre durant ses années de formation. Théâtres français et anglais, surtout celui de Shakespeare. Comme membre actif du Cercle Molière, elle participa au Festival d'art dramatique du Dominion. Le vif intérêt qu'elle portait au théâtre l'incita même à envisager la carrière de comédienne.

Léon Roy, qui avait été forcé de prendre sa retraite de fonctionnaire, sa plus jeune fille n'ayant que quatre ans, mourut en 1927. Gabrielle se verrait donc bientôt obligée de subvenir à ses besoins ainsi que, en partie, à ceux de sa mère. Encore très idéaliste, la jeune fille s'insurgeait contre l'idée de gagner sa vie : « Gagner sa vie ! Comme cela m'apparaissait mesquin, intéressé, avare ! »[20] Les aspirations de la jeune fille pour devenir écrivain ou artiste se retrouvent, bien que transposées, dans « Gagner ma vie... », la dernière nouvelle de *Rue Deschambault*.

C'est à l'école Normale de Winnipeg que Gabrielle Roy termina ses études. En épousant la carrière d'enseignante, elle suivait l'exemple de quelques-unes de ses sœurs et réalisait le rêve que sa mère avait fait pour sa plus jeune. *La Petite Poule d'Eau* et *Ces enfants de ma vie* particulièrement ont été inspirés par son expérience d'enseignante.

Au bout de huit ans, en dépit de son succès évident et de son amour pour les enfants, Gabrielle Roy décida d'interrompre cette carrière. Elle trouva difficile de justifier, même à ses propres yeux, son intention de quitter le domicile familial. D'autant plus que ni sa mère ni les autres membres de sa famille ne comprenaient ni n'acceptaient cette décision. Le désir de céder à l'attrait de l'inconnu qui devait la mener en Europe en 1937, découlait d'une démarche introspective, du besoin de se trouver et par la suite de rester fidèle à elle-même. La nouvelle-titre de *La Route d'Altamont* permet, à travers Christine, de percevoir l'évolution de l'auteur à cette époque.

Son voyage en Europe la conduisit d'abord en Angleterre. Mais après six mois d'études à la Guildhall School of Music and Drama de Londres, elle se rendit compte que son avenir n'était pas dans le théâtre : « La comédie est un art d'interprétation ; je préfère créer, il faut croire. »[21]

Poursuivant son voyage en France, Gabrielle Roy se tourna vers l'écriture comme moyen d'existence. Beaucoup plus tard, l'écrivain jugea sévèrement ces débuts se situant à la fin des années 30 et au début des années 40. Il est cependant intéressant de noter que les croquis de la vie en Angleterre, en France et au Canada, qu'elle faisait alors parvenir à plusieurs revues françaises et canadiennes, contiennent déjà des personnages et des thèmes qui réapparaîtront avec encore plus de force dans ses romans. Élément plus important encore, c'est grâce à cette occupation que Gabrielle Roy se rendit compte qu'écrire répondait chez elle à un irrésistible besoin de créer. Lorsqu'elle commença à écrire, elle dut se demander quelle langue elle choisirait. Bien que parfaite bilingue, elle opta sans tarder pour le français, la langue de son âme : « Je pense que l'écrivain écrit avec son âme, et cette âme est rattachée à une langue plutôt qu'à une autre, même s'il en parle plusieurs. »[22]

À un niveau plus profond, Gabrielle Roy reconnaît que sa vie et par conséquent son œuvre ont été marquées par une autre dualité. La beauté de la vie sert toujours à nous rappeler sa tragédie. Ceci explique peut-être, pensait-elle, l'alternance de ses livres. À « *Bonheur d'occasion*... le livre le plus impliqué socialement... succède *La Petite Poule d'Eau* qui paraît en être pratiquement l'opposé »[23].

Sa décision d'écrire en français entraîna son retour au Canada et au Québec plutôt qu'au Manitoba, au début de la Seconde Guerre mondiale : « Je sais maintenant que sans ce retour je ne serais pas l'écrivain que je suis aujourd'hui. Je ne sais pas ce que je serais sans le Québec. Je lui dois infiniment. Et tout d'abord de m'être aperçue moi-même comme je ne me serais pas reconnue ailleurs, et de l'avoir peut-être lui aussi perçu comme aucun autre regard ne l'aurait pu. Il m'a fait me connaître peu à peu et aussi connaître l'essence de la vie, les tourments et la joie. »[24]

À son retour au Canada, Gabrielle Roy s'installa d'abord à Montréal. Les articles qu'elle écrivit au début des années 40 concernent presque exclusivement Montréal, l'Abitibi et la Gaspésie, ainsi que les minorités ethniques du Canada. Plusieurs de ces essais et reportages se regroupent dans *Fragiles Lumières de la terre*. L'éminent critique Jean Éthier-Blais proclame avec enthousiasme que ce livre, « une leçon de vie... le rend fier d'être le contemporain d'une telle femme »[25]. La combinaison d'une documentation précise et de considérations sociales et philosophiques présentes dans ces premiers écrits devait constituer une préparation idéale pour le futur auteur de *Bonheur d'occasion*. Ainsi que le souligne Paul Socken, ces écrits « illuminent les romans. On y constate davantage l'interdépendance des trois principales préoccupations dont ces articles et nouvelles font état (la compréhension que les personnages ont d'eux-mêmes, leurs réactions au monde qui les entoure, leurs relations avec les autres) »[26]. En même temps, le désir d'établir une communication entre l'auteur et son lecteur — personnage anonyme dont il lui fallait pour écrire pouvoir visualiser l'existence et l'approbation — animait déjà ces premiers écrits. L'on ne saurait comprendre l'idée que Gabrielle Roy se faisait de sa vocation d'écrivain sans tenir compte de ses concepts de communication avec les autres et d'ouverture d'esprit devant l'expérience.[27]

C'est toutefois la solitude involontaire qu'elle connut dans la métropole qui devait servir de catalyseur à la rédaction de son premier roman. « Finalement, c'est le fondamental besoin humain de vivante chaleur, le désir de tendresse et d'échange fraternel qui me mena en bonne direction. »[28]

Dans *Bonheur d'occasion*, le lecteur perçoit très bien les sentiments de l'auteur envers ses personnages. Nous sentons ainsi la sympathie qu'elle éprouve pour la famille Lacasse qui vit dans la misère, et dont les malheurs vont s'accentuant, forcée de déménager d'année en année dans des logements de plus en plus minables, alors que le nombre de ses enfants ne cesse d'augmenter. Quelle ironie du sort que ce soit la guerre en Europe qui leur apporte l'espoir de sortir de leur misère en leur permettant de trouver de l'emploi ou de s'engager dans l'armée !

Montréal où se situe l'action relie *Bonheur d'occasion* et *Alexandre Chenevert* (1954). Ce dernier roman, toutefois, accentue surtout le destin d'un seul personnage. Ce portrait d'un caissier incapable de surmonter les problèmes de l'existence incarne la philosophie que l'on retrouvera plus tard dans *La Montagne secrète* (1961). « Tout homme est rare et inimitable par ce que la vie a fait de lui ou lui d'elle... »[29]

Après son mariage au docteur Carbotte en 1947, elle vivra en France avec son mari pendant deux ans. Celui-ci, également originaire du Manitoba, y poursuivra ses études en gynécologie.

C'est durant ce séjour en France que Gabrielle Roy rédigea *La Petite Poule d'Eau* (1950), œuvre idyllique inspirée de son expérience d'enseignante. Ce fut le premier de ses livres situés au Manitoba qui devaient alterner avec ceux traitant d'autres milieux, d'inspiration plus immédiate.

Ces enfants de ma vie (1977) : une série de portraits d'enfants imaginés par une jeune enseignante qui permet de constater à quel point cette période de sa vie a influencé l'auteur.

« Souvenirs du Manitoba » (1965) : un essai écrit à contrecœur[30] pour complaire à la demande de la Société royale du Canada, qui s'inscrit comme un tournant important dans l'évolution de l'auteur. En effet, il marque les débuts de son œuvre davantage autobiographique. Ayant enfin surmonté ses réticences à évoquer ses années de formation au Manitoba, Gabrielle Roy se mit à la « Recherche du temps perdu, donc, mais surtout recueillement et quête de soi »[31], pour citer François Ricard. Elle se trouva bientôt envahie par les souvenirs, auxquels elle donna vie, en les transposant, dans *Rue Deschambault* (1955). « En d'autres mots, comme le note encore François Ricard, *Rue Deschambault* est autant une œuvre d'imagination qu'une œuvre de mémoire. »[32]

En dehors de brefs séjours, Gabrielle Roy ne vécut jamais plus au Manitoba. Pourtant la prairie est restée présente en elle. En fait, au cours des années, sa province natale a pris une importance de plus en plus grande comme source d'inspiration. Suivant la définition du critique canadien Éli Mandel, Gabrielle Roy est véritablement un écrivain de la prairie : « ... ce n'est pas d'un endroit qu'il nous faut parler, dit-il, mais de quelque chose de plus complexe, dicté par une force compulsive : endroit évoqué ou, au-delà de cela, évocation de soi, quelque chose de perdu et de retrouvé, une espèce de souvenir, une sorte de mythe. »[33]

Gabrielle Roy reconnaît que ce qui compte pour elle, plus encore que l'impact physique du paysage, c'est la valeur symbolique qu'elle y associe. L'horizon de la prairie, « qui sans cesse nous appelle et sans cesse nous fuit, est peut-être le symbole, l'image, dans nos vies, de l'idéal, ou de l'avenir, qui nous apparaît dans notre jeunesse, comme une source intarissable de promesses abondantes et renouvelées »[34]. Nous verrons que cette correspondance entre le paysage et l'homme constitue un des aspects caractéristiques de l'œuvre de Gabrielle Roy.

En 1954, après un deuxième séjour de deux ans en France, les Carbotte établissent leur résidence à Québec. Gabrielle Roy y mène une vie astreignante, consacrée presque entièrement à son art. Le fait de ne pas avoir d'enfants lui facilite la tâche. À ce propos, la romancière remarque un jour : « Jeune femme, j'aurais souhaité avoir des enfants. Mais après mes premiers livres, j'ai considéré qu'ils m'étaient un don comparable[35]. » Quelque satisfaction que l'écrivain retire de son art, celui-ci lui impose de nombrex sacrifices. Nous pourrons le constater au cours de notre exposé en abordant *La Montagne secrète* (1961), l'autobiographie romancée d'un peintre. Tout en ne rejetant pas l'idée de Wordsworth que « l'art est l'émotion évoquée dans la tranquillité », Gabrielle Roy est d'avis « qu'aucune œuvre d'art, aucun travail créateur ne peut se réaliser dans la détente »[36]. La vie privée d'un artiste est par conséquent sacrée. On se rappellera avec quelle réticence, et alors seulement pour un court moment, elle accéda aux demandes du public résultant du succès international accordé à *Bonheur d'occasion*.

Elle reconnaît, bien entendu, le paradoxe que constituent chez elle le besoin d'isolement de l'artiste et le désir de communion et de communication qui la pousse à écrire. Mais elle est en même temps persuadée qu'il lui est possible d'écrire bien que séparée de ses semblables puisque ceux-ci, elle les porte en elle.

Étant donné l'intérêt passionné que Gabrielle Roy a toujours voué aux humains, son rôle de porte-parole de l'Expo 67 de Montréal et de « Terre des Hommes/Man and His World » — manifestation symbolique de foi en l'humanité et au progrès — semblait tout indiqué.

Dans l'esprit de « Terre des Hommes » et de Saint-Exupéry dont la foi en ses semblables demeure aujourd'hui encore une source d'inspiration, Gabrielle Roy évalue sa réussite comme écrivain en ces termes : « Mon mérite, si j'ose y prétendre, c'est peut-être d'avoir assemblé en mes livres des êtres aussi épars et qui pourtant constituent aujourd'hui une famille. »[37]

La mort de Gabrielle Roy, d'une crise cardiaque le 13 juillet 1983, priva le Canada d'un de ses écrivains les plus doués et les mieux aimés. Sa comparaison entre la fragilité de la vie humaine et celle des lucioles dans *Cet été qui chantait* (1972) nous vient à l'esprit. Devant cette perte incalculable, une pensée nous réconforte : elle a été de ceux qui « avant de s'éteindre, auront donné leur plein éclat ! Pris au feu de Dieu ![38] » Longtemps, l'auteur de *Fragiles Lumières* continuera d'enchanter ses lecteurs.

CHAPITRE II

LES ROMANS DE LA VILLE

Lors d'une interview avec Judith Jasmin en 1961, Gabrielle Roy aborda le sujet de la bipolarité de son œuvre : en premier lieu, l'intérêt qu'elle portait aux gens du peuple et à la vie de tous les jours dans le monde contemporain ; en second lieu, un intérêt personnel, la quête de soi. Au début, ces deux centres d'intérêt, manifestes dans ses écrits, oscillaient entre la ville et la prairie. C'était, selon la définition d'Alan Brown, « un dialogue entre l'expérience et l'innocence »[1]. Plus tard, c'est le mode plus personnel qui dominera son œuvre.

Aux fins de cette étude, nous grouperons *Bonheur d'occasion* (1945) et *Alexandre Chenevert* (1954) qui tous deux se situent à Montréal.

Malgré de nombreuses similarités et une inspiration commune, ces deux romans possèdent une grande individualité. La différence définie par Paul Bourget entre le roman de mœurs et le roman de caractère peut s'y appliquer. L'action est plus importante dans *Bonheur d'occasion,* roman qui dépeint des gens ordinaires et leur vie de tous les jours, que dans *Alexandre Chenevert,* portrait analytique d'un être complexe, exceptionnel.

Bonheur d'occasion

Ce roman, dans le contexte de la littérature canadienne-française, innove. Ainsi que le faisait observer Gabrielle Roy en 1947 : « Nous (Canadiens français) commençons à ne plus avoir peur de nous-mêmes et à perdre l'habitude d'imiter les autres. Nous reconnaissons maintenant notre propre vérité et nous nous fions à notre propre expérience. »[2] Heureuse tentative qui permit à l'auteur d'atteindre des lecteurs bien au-delà de la province. Ainsi David M. Hayne avance-t-il que : « Pour la première fois, un roman montréalais illustre, en termes montréalais, des situations humaines qui existent dans toutes les grandes villes du monde... La grande réussite de Gabrielle Roy dans *Bonheur d'occasion* consiste à avoir pris une situation humaine très simple et à l'avoir traitée en termes propres au Canada français sans rien sacrifier de son universalité. »[3] Pierre Descaves[4] félicite également Gabrielle Roy d'avoir présenté au lecteur européen une nouvelle image du Canada. Le critique français Francis

Ambrière apprécie particulièrement le « sens universel »[5] de ce roman, de même que H. Gueux-Rolle[6]. Et si Hugo McPherson[7] attribue fort justement le succès de *Bonheur d'occasion* à son exceptionnelle valeur documentaire, il n'en demeure pas moins que ce roman porte la marque de son auteur. Guy Sylvestre en arrive à la conclusion que *Bonheur d'occasion* pourrait bien être le « plus humain »[8] des romans canadiens-français. William Arthur Deacon discerne un accent flaubertien dans les descriptions de Gabrielle Roy : « Le soin exquis apporté au moindre détail, faisant d'un meuble bon marché, de la poudrerie, des vantardises du chauffeur de taxi, des réalités concrètes, voilà ce que le grand maître français semble avoir communiqué à son élève canadienne. Rien ni personne ne sont remarquables dans *Bonheur d'occasion ;* pourtant la patience, l'habile phraséologie, l'art de faire avancer l'histoire d'un point à un autre, donnent au roman une force qui captive l'imagination des lecteurs... C'est ce qui fait de ce livre une œuvre d'art. »[9] « L'exemple parfait du naturalisme, une œuvre d'art doublée d'une analyse clinique d'un mal social, la pauvreté », ainsi que l'a défini W. E. Colin, le roman de Gabrielle Roy ne doit rien aux caractéristiques dominantes de la littérature canadienne-française. « Il perpétue la tradition française du XIXe siècle et, comme œuvre d'art, dépend uniquement de son excellence dans le domaine expérimental. »[10] « Nous ne prétendons pas que Gabrielle Roy ait atteint la stature d'un Stendhal ou d'un Balzac. Nous sommes néanmoins heureux de reconnaître en elle les qualités de cœur, la compassion et l'humanité », trop souvent absentes chez les auteurs contemporains, selon Doris Lessing, et qui ont fait, toujours selon elle, des grands romans du passé « une déclaration de foi en l'humanité »[11].

Ainsi que l'a souligné W. B. Thorne, « *Bonheur d'occasion* est l'odyssée d'un peuple exploité par une société vouée principalement au bien-être des nantis »[12]. Le titre original, note encore Hugo McPherson[13], suggère une joie en solde, trompeuse, éphémère. Sa version anglaise, *The Tin Flute,* peut sembler plus pessimiste étant donné qu'elle met l'accent sur l'impossibilité plutôt que sur la réalisation d'un rêve d'enfant. Il ne saurait pourtant en être autrement puisque c'était la Crise et qu'arriver à survivre était alors une préoccupation quotidienne. Au contact de ces vies tragiques, un autre écrivain aurait peut-être été tenté d'illustrer l'amertume ou la cruauté. Non pas Gabrielle Roy, en qui nous reconnaissons « l'angoisse d'un cœur frémissant »[14] tant admirée par notre auteur chez sa consœur, l'écrivain Germaine Guèvremont.

Dans sa conception et sa composition, *Bonheur d'occasion* fut pour Gabrielle Roy une expérience intensément personnelle. Évoquant plus tard son premier roman, elle le considère non seule-

BONHEUR D'OCCASION *(400 p.)*

En 1947, ce roman obtenait le prix Fémina. Le Literary Guild, aux États-Unis, le retient comme le meilleur livre du mois, avec un tirage initial de 750 000. Il a été traduit en norvégien, danois, suédois, espagnol, roumain, slovaque et russe. Plus d'un million d'exemplaires ont été vendus dans les seules langues anglaise et française.

ment comme le miroir de Montréal à cette époque, mais aussi comme un témoignage de sa conception de la vie et de son attitude face à la vérité du début des années 40.

Venue à Montréal de la Prairie canadienne, en passant par la France, Gabrielle Roy décida d'explorer son nouveau milieu pour tenter de surmonter son sentiment de grande solitude. La beauté de la nature au printemps, même au cœur de la métropole, contrastait avec le manque d'espoir des pauvres. Son indignation poussa la jeune femme à éveiller ses lecteurs aux malheurs de ces infortunés, dans l'espoir d'arriver à améliorer leur sort.

La conception qu'avait Gabrielle Roy de l'année 1939 relevait directement de son univers. Sans trop s'expliquer ce qui lui arrivait et en quelque sorte à son corps défendant elle se trouva aux prises avec un important roman. Alors qu'elle l'avait d'abord conçu comme une nouvelle, *Bonheur d'occasion* se transforma bientôt en un premier roman dont la composition devait l'occuper pendant près de quatre ans.

Pour arriver à faire partager ses idées, l'artiste, « retiré dans sa coquille »[15] doit s'attaquer à une tâche longue et ardue. Pour devenir une œuvre d'art, le processus de création exige une simplification et une concentration de « la réalité qui lui sert de base »[16].

L'artiste, toutefois, n'a pas toujours le plein contrôle de ses créatures : « Il m'arrive encore de penser à certains de mes personnages comme à des êtres jouissant d'une pleine autonomie »[17], avoue Gabrielle Roy. Ceci explique sans doute l'absence, dans *Bonheur d'occasion,* d'un protagoniste distinctif, si l'on excepte le quartier de Saint-Henri lui-même, comme le suggère B. Lafleur[18]. Dans ce récit où la vie de Saint-Henri (un quartier pauvre d'usines ferroviaires le long du canal Lachine, à Montréal) est illustrée par les fortunes de la famille Lacasse, Florentine Lacasse et sa mère Rose-Anna semblent rivaliser pour retenir l'attention du lecteur.

Il est intéressant de noter qu'en écrivant son roman, Gabrielle Roy voyait l'aspect régional plutôt qu'universel de son milieu. Les critiques canadiens-français, ses contemporains, mettaient également l'accent sur le régionalisme du roman : ils étaient peu habitués à une fresque sociale aussi peu flatteuse[19]. Le réalisme cru de Gabrielle Roy suscitait parfois chez eux des réactions négatives. Comme nous l'avons déjà vu, les critiques européens, anglais, canadiens et américains ont au contraire toujours été impressionnés par l'aspect universel de *Bonheur d'occasion.* Alors que le temps et l'action sont détaillés, la misère humaine illustrée par le roman est hors du temps, rappelant au lecteur l'interrelation et l'unité sans cesse croissantes du monde.

L'aspect régional de *Bonheur d'occasion* est accentué encore par l'emploi fréquent de dialogues où sont fidèlement reproduits le dialecte et les anglicismes propres au quartier.

Le récit, dans *Bonheur d'occasion,* se développe, selon l'analyse qu'en font Réjean Robidoux et André Renaud, sur trois plans : « Le jeu d'échanges... s'établit entre les univers superposés : univers individuel... univers social... univers planétaire. »[20]

Sur le plan individuel, *Bonheur d'occasion* est l'histoire de Florentine. Aînée de la famille Lacasse, elle est serveuse au restaurant d'un *Quinze-Cents.* Son salaire sert presque entièrement à l'entretien de sa famille. Souhaitant échapper à la pauvreté (qu'elle connaît depuis toujours) et rêvant d'un bonheur à sa mesure, elle succombe aux charmes d'un jeune ambitieux, Jean Lévesque. Tous deux se ressemblent par les aspirations qu'ils partagent et leurs efforts pour améliorer leur sort. Ironiquement, toutefois, Jean considère comme un obstacle leur milieu social. La jeune femme incarnera bientôt à ses yeux tout ce à quoi il veut s'arracher. Jean est de plus persuadé que, pour arriver à ses fins, il doit lutter seul. Lorsqu'elle lui apprend qu'elle est enceinte, il rompt brutalement. Florentine décide alors d'épouser Emmanuel Létourneau, l'ami de Jean Lévesque, qui ne se doute aucunement du subterfuge.

Rose-Anna, la mère, se situe au centre de l'univers social. Elle est aussi le point d'appui de sa famille dont elle ne peut cependant empêcher le démembrement. À contrecœur, cette femme tendre et douce en vient à assumer le rôle de chef de famille que son mari Azarius, l'éternel rêveur, est incapable de tenir.

Ses rêves de bonheur sont des souvenirs idéalisés de son enfance et de sa jeunesse. Mais elle connaîtra un dur réveil lorsque Azarius, pour lui faire plaisir, lui fera revoir le foyer paternel. Cette excursion vouée à l'échec permettra à l'auteur de fusionner ses trois univers : l'individuel, le social et le planétaire.

Florentine refuse de se joindre à l'excursion familiale afin d'inviter Jean Lévesque à la maison en l'absence de ses parents. Elle se rendra compte, par la suite, que leur éventuelle séparation a eu pour cause directe cet incident, puisque c'est alors qu'elle est devenue enceinte.

Rose-Anna est forcée de reconnaître que l'on ne peut jamais revivre le passé. Sa déception provient non seulement de la comparaison avec les couleurs, les sons et les scènes du passé, mais également de la pauvreté dans laquelle vit sa famille. Le contraste entre le sort de ses propres enfants et la prospérité dont jouissent leurs cousins de la campagne lui font comprendre son impuissance devant la force du destin. Azarius imposera de nouvelles épreuves à sa famille lorsque au retour, et parce qu'il avait utilisé le camion dans lequel ils se trouvaient sans en avoir demandé la permission, il a un accident qui lui fait perdre son emploi. Il s'engagera au bout du compte comme soldat et ira servir en Europe.

Sur le plan international enfin, Gabrielle Roy démontre comment l'avènement de la Seconde Guerre mondiale apporte aux pauvres gens de Saint-Henri la promesse d'une prospérité inattendue. Ils auront maintenant le choix entre profiter des occasions qui s'offrent dans le domaine de l'emploi (à l'exemple de Jean Lévesque qui travaille dans une usine de munitions) ou s'engager dans l'armée, comme le font plusieurs membres de la famille Lacasse.

Gabrielle Roy est si intimement mêlée à la vie de ses personnages qu'elle continue souvent de s'en inquiéter après avoir terminé un livre. C'est ce qui s'est passé pour *Bonheur d'occasion*. Dans son discours de réception à la Société royale du Canada qui l'honorait en 1947 pour son premier roman, elle tint à évoquer de nouveau les personnages de *Bonheur d'occasion*. Intitulé « Retour à Saint-Henri »[21], ce discours faisait faire à son auditoire une visite imaginaire du milieu où se situe *Bonheur d'occasion*. Cette rencontre avec ses personnages constitue un remarquable exemple de critique pertinente, ainsi que nous le constaterons plus tard dans l'analyse des caractères. En vertu de sa sympathie pour les gens dont le triste sort servit d'inspiration à *Bonheur d'occasion,* et de son espoir de voir l'indignation de ses lecteurs contribuer à améliorer leur condition, l'on comprend le « sentiment d'inutilité » qu'éprouva l'auteur en constatant que rien n'avait changé à Saint-Henri.

Son implication personnelle joue un rôle important dans la peinture que nous fait Gabrielle Roy de ses personnages. C'est ainsi qu'au tout début de *Bonheur d'occasion,* elle nous présente Florentine Lacasse derrière son comptoir-restaurant au *Quinze-Cents*. L'atmosphère que créent la description précise du tohu-bohu environnant et la transcription fidèle des conversations qui s'y tiennent rappelle la technique journalistique objective de Gabrielle Roy. En même temps, cette façon de créer l'ambiance est typique de la manière dont l'auteur introduit ses personnages, dont l'identité est inéluctablement liée à leur milieu. La « pathetic fallacy » ainsi que l'ont souligné Gérard Bessette et André Brochu[22], par exemple, joue un rôle de premier plan dans *Bonheur d'occasion*.

Le milieu et le temps sont tous deux de redoutables ennemis. « Ici, se résumait pour elle (Florentine) le caractère hâtif, agité et pauvre de toute sa vie passée dans Saint-Henri. »[23] L'avenir de la serveuse de restaurant lui semble prédestiné. Elle n'y entrevoit qu'une répétition de son expérience passée. Chaque année, ou presque, est marquée par un déménagement dans un « chez-soi » encore plus minable, méritant à peine d'être désigné par ce terme. Malgré tout, elle n'arrive pas à se résigner à la fatalité d'une telle vie. Un esprit de révolte, conscient et inconscient, contre le sort de la femme tel qu'illustré par sa mère, guide ses actes. Le lecteur devra attendre *Rue Deschambault* (1955) et *La Route d'Altamont* (1966) pour trouver plusieurs générations de personnages réconciliés à leur sort.

Lorsque Florentine comprend que Jean refuse de s'attacher à elle, elle atteint un tournant dans sa vie : « Ses rêves étaient morts. Sa jeunesse était morte. »[24] Heureusement pour elle, Emmanuel Létourneau qui rêve d'amour et d'amitié, lui revient. Les choses mêmes en elle qui repoussent Jean attirent Emmanuel. Son amour ne l'aveugle cependant pas : « Distinguée ! Florentine était-elle distinguée ? Non, pensa-t-il. Elle était vraiment une pauvre jeune fille de faubourg, avec des mots crus, parfois, des gestes du peuple. Elle était mieux que distinguée. Elle était la vie elle-même, avec son expérience de la pauvreté, et sa révolte contre la pauvreté. »[25] Impitoyable, Florentine accepte un mariage monotone et sans amour avec Emmanuel. Plus jamais elle n'éprouvera ce frisson de l'inconnu qui, en même temps, l'attirait et la repoussait, ni les grandes joies ni les grandes douleurs qu'il déclenchait.

Au départ d'Emmanuel pour le front, Florentine se montre égocentrique, se souciant peu de son bien-être. Le fait de savoir qu'elle ne s'était pas laissé abattre par les récents événements lui procure au contraire une certaine satisfaction et lui donne confiance en l'avenir.

Suivant son « retour » à Saint-Henri (pour employer le terme qu'elle utilise elle-même dans son discours de réception à la Société royale du Canada en 1947), Gabrielle Roy remarqua qu'elle avait eu du mal à reconnaître Florentine, car elle avait maintenant « le visage de milliers de femmes »[26]. Bien qu'elle ait progressé sur le plan social et économique, elle paraissait moins attrayante — rassemblant davantage à Jean Lévesque, l'ambitieux, qu'à l'idéaliste Emmanuel. Jean Lévesque est la contrepartie masculine de Florentine. L'ambivalence des sentiments du mécanicien à l'égard de la jeune fille trouve racine dans leurs communes origines. Il s'en rend d'ailleurs compte de façon dramatique au moment de lui faire l'amour.

« Il savait maintenant que la maison de Florentine lui rappelait ce qu'il avait le plus redouté : l'odeur de la pauvreté, cette odeur implacable des vêtements pauvres, cette pauvreté qu'on reconnaît les yeux clos. Il comprenait que Florentine elle-même personnifiait ce genre de vie misérable contre laquelle tout son être se soulevait. Et dans le même instant, il saisit la nature du sentiment qui le poussait vers la jeune fille. Elle était sa misère, sa solitude, son enfance triste, sa jeunesse solitaire ; elle était tout ce qu'il avait haï, ce qu'il reniait et aussi ce qui restait le plus profondément lié à lui-même, le fond de sa nature. »[27]

Jean Lévesque est persuadé que, pour réaliser son ambition, il doit être absolument indépendant. Comme il cherche par son travail à se venger de sa modeste origine, il se méprise de s'intéresser, ne serait-ce que brièvement, à cette femme. C'est déroger à sa personnalité impitoyable qu'il a décidé de se forger.

Persuadé que sa réussite lui apportera un jour l'argent et une place dans la société, il accepte volontiers de s'imposer des sacrifices. Mais pour arriver à se refaire selon ses désirs, il doit supprimer certaines des qualités qu'il souhaiterait inconsciemment le plus avoir, car il les considère consciemment comme des faiblesses. À l'exemple de Florentine, il a une attitude négative envers le genre humain. Cette façon de voir le rend aussi dur envers les autres qu'envers lui-même, d'où par exemple son abandon de la femme qui attend son enfant.

Anticipant une rencontre imaginaire avec son personnage après la guerre, Gabrielle Roy note : « Jean Lévesque, personnage en qui j'ai incarné le refus des responsabilités sociales, l'égoïsme qui conduit l'être humain à accepter les avantages de la société sans lui sacrifier la moindre parcelle de sa liberté, Jean Lévesque, je n'en doute guère, doit profiter amplement des conditions dans lesquelles la vie l'a placé... Je ne saurais le suivre à travers sa vie ; Jean Lévesque est si nombreux parmi nous. »[28]

Par contraste à l'égoïsme de Jean et de Florentine, Rose-Anna se dévoue à sa nombreuse famille : « L'humilité et la force de sa tendresse » sont les qualités dominantes de cette femme remarquable, qui incarne par ailleurs toutes les mères du monde : « Cette petite femme du peuple, douce et imaginative, je peux bien vous avouer aujourd'hui qu'elle s'est introduite presque de force dans mon récit, qu'elle a bouleversé la construction, qu'elle en est arrivée à le dominer par la seule qualité si peu littéraire de la tendresse... sans l'humilité et la force de sa tendresse... mon récit n'aurait pas eu le don d'émouvoir, car ce n'est vraiment que par l'offrande de nous-mêmes à quelqu'un ou à quelque but supérieur que nous touchons le cœur humain. »[29]

Gabrielle Roy reconnaît que Rose-Anna et Emmanuel lui sont particulièrement chers : « J'ai aimé tous les personnages de *Bonheur d'occasion ;* je ne conçois pas comment le romancier pourrait ne pas plaindre et ne pas aimer la moindre créature issue de son imagination qui, tout incomplète qu'elle soit, le rattache au monde réel, souffrant et cruellement déchiré. Mais avec le recul du temps, je m'aperçois que deux de mes personnages me consolent des autres... Parce qu'ils ont vécu l'un et l'autre pour le bien-être d'autrui, Rose-Anna et Emmanuel ne nous laissent peut-être pas entièrement démunis d'espoir. »[30]

Le fait que Rose-Anna se soit « introduite presque de force dans son récit »[31], explique sans doute le malaise qu'ont ressenti certains critiques — y compris André Brochu[32] et Gérard Bessette[33] — quant à l'importance relative de Rose-Anna et de Florentine. Ce qui ne les empêche pas de hautement apprécier la caractérisation de ces deux femmes. Bessette, par exemple, va même jusqu'à comparer les héroïnes de *Bonheur d'occasion* à celles de Zola, de Dostoïevski et de George Eliot. D'un point de vue structurel, la romancière concentre son attention sur Florentine, au début comme à la fin du livre. Pourtant, la différence est si grande entre la mère et la fille que, malgré la caractérisation également réussie des deux personnages, la sympathie de l'auteur et, par conséquent, du lecteur va à la mère.

Le mariage de Rose-Anna à Azarius Lacasse est responsable de la venue de celle-ci à la ville et de sa vie de plus en plus démunie. Sans se plaindre et bien que ce soit contre son penchant naturel, cette femme pleine de ressources assume le rôle de chef de famille lorsque le besoin s'en fait sentir. Par la même occasion, l'amour qu'elle lui porte l'aide à mieux comprendre les sentiments de son mari.

Persuadée que la misère fait partie de la condition humaine — particulièrement dans le cas de la femme, puisqu'elle ne jouit pas de l'indépendance de l'homme —, elle s'évade dans les rêves de son enfance. Ironiquement, alors que son courage et son héroïsme quotidien allègent la misère de sa famille, lorsqu'elle retourne à la maison paternelle, à la campagne, sa joie de vivre et ses espérances paraissent inefficaces, voire déplacées. Bien qu'elle ne partage pas les rêves d'Azarius, son orgueil et sa loyauté l'empêchent d'avouer la vérité à sa mère. Mais l'écart entre la réalité et ce qu'elle voudrait faire croire à sa mère est évident.

Son humiliation pousse, par ailleurs, Rose-Anna à critiquer sa mère, ce qui aggrave encore leur manque de communication. Elle craint aussi de faire défaut à Florentine. En réalité, l'amour de Rose-Anna ne pourra empêcher la dissolution de sa famille ; car les rêves de chacun sont liés au désir d'échapper à leur misérable condition, de fuir ce logis exigu qui leur apparaît davantage une prison qu'un havre.

Incurable rêveur, Azarius Lacasse a toujours fait de grands projets, comme s'il avait été libre de choisir son destin. En nous le faisant voir de l'extérieur plutôt qu'en lui-même, l'auteur souligne le côté superficiel de son caractère. Si la caractérisation de ses personnages féminins lui a toujours mérité des louanges, Gabrielle Roy semble moins bien réussir ses personnages masculins. Gérard Bessette est de l'opinion que « Gabrielle Roy semble incapable de mettre sur pied un personnage masculin complexe, pleinement développé[34] ».

Jean Lévesque pense, fort justement, qu'Azarius n'est « qu'un idéaliste, un bon à rien » et il condamne cet homme plus âgé qui prive sa famille d'un sentiment de sécurité. Comme le reconnaît Rose-Anna, Azarius est cependant bon et généreux. « Il n'a pas eu beaucoup de chance »[35] conclut Florentine, en décrivant sa famille à Emmanuel. Ce sera finalement sous l'uniforme du soldat que la chance se présentera au menuisier sans travail. Il songe à s'enrôler pour prouver son amour à sa femme ; mais, en réalité, il pense davantage à lui-même et au fardeau que représentent pour lui ses liens familiaux. S'engager dans l'armée, c'est le moyen de s'évader, « ... l'assurance de sa propre libération. Libre, libre, incroyablement libre, il allait recommencer sa vie »[36].

Renouant connaissance avec Azarius après la guerre, Gabrielle Roy le retrouve gagnant sa vie non pas dans la menuiserie, son premier métier, mais comme chauffeur de taxi. Inchangé, il demeure l'éternel rêveur.

Emmanuel Létourneau est lui aussi un idéaliste et un rêveur. Mais alors que son aîné échappe, à travers ses rêves, à ses obligations, Emmanuel accepte les responsabilités et les sacrifices. Ainsi, à l'exemple du caissier d'*Alexandre Chenevert,* il aspire à la fraternité universelle. Ses actes sont toutefois plus efficaces, car, réaliste, le jeune soldat ne se fait aucune illusion sur ses talents. Il habite maintenant Westmount, quartier chic de Montréal, mais ses racines sont toujours à Saint-Henri. Bien qu'il soit allé à l'université et qu'il occupe le poste de contremaître dans une usine de textile, il n'a pas oublié ses anciens condisciples ni leur vie privée d'espoir. Mais l'auteur n'explique pas comment les parents d'Emmanuel ont pu échapper à leur modeste condition pour aller vivre là-haut, à Westmount. La bonne fortune des Létourneau constitue un cas isolé qui n'atténue aucunement l'atmosphère tragique de *Bonheur d'occasion*.

Gabrielle Roy envisage pour Emmanuel qui, comme Rose-Anna, lui est particulièrement cher (ainsi que nous l'avons vu plus haut) une vie essentiellement tragique. Contrairement à Jean Lévesque, Emmanuel ne profite pas de son milieu économique favorable. Son idéalisme l'isole, voire l'aliène, de ceux-là mêmes qu'il voudrait aider. Dans « Retour à Saint-Henri », son discours de réception à la Société royale du Canada, la romancière remarque : « Je dois vous avouer que je n'ai pas eu le courage de le faire revenir, lui, qui, au début de la guerre, était déjà allé un soir sur la montagne de Westmount demander à la richesse si elle ne consentirait pas aussi son sacrifice à la paix... Emmanuel est mort, il était l'esprit de l'intransigeante jeunesse qui ne veut rien de moins que la justice parfaite, et ainsi il était marqué pour le sacrifice. »[37]

« Dans le monde de Gabrielle Roy, écrit Paul Socken, la vie n'est jamais statique. Elle représente un processus de changement continu qui rend la quête du bonheur/joie difficile mais non impossible. »[38] À la lumière de leur vie quotidienne, sordide et sans intérêt, la recherche du bonheur revêt presque inévitablement la forme de l'évasion pour plusieurs de ces personnages. L'apparente futilité de ce désir inné est illustrée de façon poignante dans le cas de Daniel Lacasse. Rose-Anna a décidé de combler le vœu de son fils en lui achetant une flûte mais cette résolution ne dépassera pas le stade des bonnes intentions. Et lorsqu'elle lui rend visite à l'hôpital (il souffre de leucémie) et qu'elle le trouve non seulement en possession d'une petite flûte de fer blanc mais entouré de plus de jouets qu'il n'aurait jamais pu en souhaiter, la mère éplorée se rend compte que ces joies sont venues trop tard au jeune mourant.

La sœur de Daniel, Yvonne, trouve dans le mysticisme une autre manière de s'évader de son milieu sordide. Seule, comme Emmanuel, elle porte sur ses épaules les péchés de l'humanité et tente de comprendre le sens de l'existence et de la vie éternelle. Yvonne s'engage ainsi dans une démarche qui l'aliène de sa famille incapable de la suivre dans l'approfondissement de sa foi.

Chez d'autres, le bonheur, ou tout au moins la promesse du bonheur, revêt la défroque de la guerre. C'est ainsi qu'Eugène Lacasse est l'un des premiers à s'enrôler. Sa décision relève davantage des conditions économiques que de l'idéalisme. Cette guerre en pays lointain représente pour lui un emploi, la sécurité économique et la liberté. Mais il ressemble trop à son père Azarius pour ne pas se mettre à embellir ses motivations égoïstes. Il se voit bientôt en véritable altruiste.

Les différentes réactions que suscite la guerre, telles qu'exprimées dans *Bonheur d'occasion,* illustrent la complexité de la société dépeinte par l'auteur et constituent un aspect important de son réalisme. Pour Florentine Lacasse, ambitieuse et pratique, l'engagement dans l'armée s'explique facilement. Les hommes sont tous motivés par des désirs et des considérations égoïstes, ainsi que par l'appât du gain, déclare-t-elle à un Emmanuel désillusionné, dont les sentiments d'aliénation et de désespoir en regard de la société sont encore aggravés par le cynisme de cette réponse. Rose-Anna, qui aime la paix, sympathise avec les femmes du monde entier qui ont un être cher à la guerre. À mesure que les nouvelles du front incitent d'autres hommes à s'enrôler, elle se met à haïr les Allemands plutôt que la guerre elle-même. Ce sentiment la trouble, car elle se dit qu'il ne peut qu'aggraver les hostilités. Eugène et Azarius Lacasse défendent l'idée de la guerre. Jean Lévesque s'efforce d'en retirer le plus de bénéfices possible, tout en reconnaissant que les soldats des deux côtés se battent sans doute pour les mêmes idéaux. En réfléchissant à ce sacrifice commun — ou tout au moins parallèle — consenti à la patrie, où qu'elle se trouve, Emmanuel est perplexe, car paradoxalement, la guerre donne naissance au concept de fraternité universelle.

La façon dont Gabrielle Roy conçoit les niveaux individuel, social et planétaire dans *Bonheur d'occasion* a de fortes résonances tragiques. Des forces intérieures et externes menacent non seulement le développement harmonieux mais à certains moments l'existence même des personnages dont elle nous révèle la vie. Tout en donnant l'impression de prospérer sur le plan individuel, Florentine Lacasse et Jean Lévesque suppriment en eux-mêmes leurs traits les plus humains dans un milieu hostile. D'un autre côté, l'altruisme de Rose-Anna Lacasse et d'Emmanuel Létourneau, qui représentent respectivement les plans social et planétaire, ne peut rien en définitive pour empêcher l'éclatement de la famille ni pour motiver leurs semblables à partager leur idéal de fraternité universelle. Il est toutefois significatif que Gabrielle Roy, en son for intérieur, s'insurge contre toute interprétation négative de *Bonheur d'occasion,* malgré son réalisme.

C'est ainsi que, dans *La Petite Poule d'Eau* et *Alexandre Chenevert,* elle recrée le genre de personnages qui la préoccupent et qui lui sont les plus chers. Avec Luzina Tousignant, elle imagine le genre de vie familiale que Rose-Anna aurait pu créer dans un milieu plus favorable. Et en concentrant son attention sur Alexandre Chenevert, l'auteur peut développer en profondeur l'ensemble des préoccupations d'Emmanuel qui, dans *Bonheur d'occasion,* étaient souvent sous-entendues plutôt qu'expliquées. Mais la joie présente dans *La Petite Poule d'Eau* offre un contraste frappant avec *Alexandre Chenevert,* écrit plus tard.

Alexandre Chenevert

Gabrielle Roy démontre admirablement dans *Alexandre Chenevert,* « un classique de la sympathie »[39] pour citer W. C. Lougheed, les qualités qui, selon Joseph Conrad, identifient l'artiste véritable : « En parlant des hommes, il (l'artiste) devrait pouvoir tendrement exprimer la reconnaissance de leurs vertus cachées »[40].

L'analyse psychologique, qui fut tant appréciée dans *Bonheur d'occasion,* est encore plus apparente et importante dans *Alexandre Chenevert,* « un livre remarquable... par sa vérité, et sa force tranquille, peu tapageuse »[41], selon Élizabeth Janeway. Margaret A. Heidemann note également : « Voici un roman d'une grande distinction, d'une grande intégrité, qui démontre une perspicacité plus profonde, une vision plus large, une maîtrise que l'auteur promettait déjà dans son précédent ouvrage. »[42] Gérard Tougas[43] le considère, pour sa part, son meilleur livre. La romancière bien connue, Andrée Maillet, ne ménage pas non plus ses louanges pour ce roman « d'une grande artiste, dont elle a beaucoup à apprendre »[44]. Le critique français Firmin Roz[45] avance enfin qu'*Alexandre Chenevert,* dont la forme et le contenu atteignent au même niveau élevé, figure parmi les meilleurs livres de la littérature française. Comme Andrée Maillet, Firmin Roz y souligne l'universalité et l'éternité dont l'origine se trouve paradoxalement dans « les vérités locales et immédiates ».

C'est alors qu'elle vivait à Paris avec son mari, entre 1947 et 1950, que Gabrielle Roy conçut l'idée d'écrire l'histoire de « l'homme ordinaire »[46], une caractérisation d'après-guerre d'un « Salavin », selon R. M. Desnues. La peinture que nous fait Gabrielle Roy de l'homme moderne suscite en son lecteur, comme en celui de Georges Duhamel, à la fois de la compassion et de l'aversion, tandis que les deux écrivains témoignent d'une grande sympathie à l'égard de leurs héros. Il ne faudrait toutefois pas laisser entendre que le portrait que fait Gabrielle Roy de son étrange protagoniste en qui se reflète la réalité canadienne ait subi l'influence de Duhamel. Ainsi, avant de camper le portrait définitif du caissier canadien, elle avait étudié, à travers trois nouvelles, la vie d'un col blanc obsédé par ses problèmes financiers et isolé de sa famille.[47] Alexandre Chenevert est bien, sur un certain plan, « pour ainsi dire innombrable »[48], c'est-à-dire que c'est un homme dont la vie agitée se retrouve dans des centaines, des milliers d'autres vies autour de nous, qui se fondent dans l'anonyme multitude. C'est ainsi que Gabrielle Roy pouvait affirmer en 1979, vingt-cinq ans après la publication de son

ALEXANDRE CHENEVERT *(400 p.)*

Ce roman a été publié pour la première fois en 1954. Il a été traduit en anglais et en allemand.

premier roman, qu'elle se sentait toujours poursuivie par Alexandre Chenevert, qui plaidait avec elle de ne pas se fermer aux souffrances de ce monde mais de les révéler, au contraire, à ses lecteurs.[49]

En raffinant sa technique, Gabrielle Roy reporte son attention des masses à l'individu, « donnant ainsi libre cours à ses dons exceptionnels de clinicienne du cœur humain »[50]. Son sens de la tragédie est aussi plus aigu, car, alors que, dans *Bonheur d'occasion,* le milieu est perçu comme une prison, c'est de lui-même qu'Alexandre Chenevert est prisonnier. L'auteur utilise d'ailleurs très habilement la cage du caissier, littéralement et symboliquement, pour souligner ce fait. L'intrigue, par ailleurs, perd ici partiellement de son importance en vertu de la vie du héros, ou plutôt, devrait-on dire, de sa mort. Sur le plan du style, enfin, celui-ci contient moins de régionalismes et d'anglicismes que *Bonheur d'occasion.*

Dans la première des trois parties d'*Alexandre Chenevert,* l'auteur expose de façon très détaillée la vie monotone d'un caissier dans une banque montréalaise, à la fin des années 40. « En tout, une puissante description d'un faible »[51], a observé S. G. Perry. Frustré par l'apparente impersonnalité de son milieu urbain, Alexandre Chenevert aspire à s'élever au-dessus de la multitude anonyme. Dans son esprit tourmenté, la maladie elle-même présente un certain attrait. « Je finirai par mourir d'un cancer d'estomac, se dit Alexandre avec une certaine malice comme s'il devait atteindre par là du moins à une destinée tout à fait personnelle. »[52] Mais lorsque sa femme tombe malade, il se préoccupe avant tout du coût de son hospitalisation, une dépense imprévue. Conscient de la misère qui sévit dans le monde, le caissier se sent encore plus impuissant, encore plus aliéné de ses semblables qui non seulement semblent indifférents au sort des autres mais ne semblent même pas capables de jouir de la vie. Ironiquement, le mécontentement qu'Alexandre Chenevert éprouve envers lui-même et le monde le rend incapable de reconnaître la bonne volonté que les gens lui manifestent, à lui ainsi qu'aux autres, dans un domaine plus restreint mais aussi plus réaliste, et l'empêche d'exprimer de l'amitié ou de l'affection à ses compagnons de travail et à ses proches. En même temps le trop scrupuleux Chenevert n'a aucun sens des valeurs ; un bouton de manteau mal cousu tourmente son cerveau fébrile au même point que la menace de la bombe atomique. Pareillement, bien que souffrant d'une santé fragile, il caresse l'idée de faire la grève de la faim pour montrer sa sympathie envers le grand humaniste que fut le Mahâtma Gandhi.

Une erreur de cent dollars dans sa conciliation de comptes, qui le force à faire du temps supplémentaire pour effacer la perte apparente, affecte davantage sa santé. Le recouvrement de la somme n'apportera aucun soulagement à son esprit malade. Se rendant compte finalement que les maux d'estomac du caissier sont causés par ses soucis humanitaires, un médecin le persuade de prendre des vacances.

La deuxième partie du livre transporte Alexandre Chenevert dans les Laurentides, à quelques kilomètres de Montréal. Il y rencontrera, au lac Vert, les Le Gardeur, une famille de fermiers qui est parfaitement satisfaite de se procurer le nécessaire à la sueur de son front. « Jamais encore il n'avait entendu un être humain s'avouer heureux. »[53] Pour son malheur, cet homme, dont le désir de se consacrer à ses semblables demeurera une notion abstraite, est incapable de comprendre comment ces gens peuvent être prêts à partager leur vie avec un étranger de la ville. Parfaitement ignorant des rigueurs auxquelles ses hôtes doivent parfois faire face et de sa propre inhabilité à vivre des produits de la terre, il fait part à sa femme, dans une lettre qu'il n'enverra jamais, de son grand projet de s'établir à la campagne où la vie est meilleure. Sa sérénité sera de courte durée. Pensant au travail qui l'attend à son retour, il met brusquement fin à ses courtes vacances. En approchant de la ville, il est toutefois de nouveau submergé par sa laideur et son indifférence, à tel point que sa femme en conclura que ses vacances ne lui ont fait aucun bien.

Dans la troisième partie du livre, nous assistons à la longue agonie d'Alexandre Chenevert, qui mourra de cancer. Il se convertira, si l'on peut dire, sur les plans humain et spirituel, de sorte qu'il sera enfin réconcilié avec Dieu et les hommes. C'est ainsi, note Robert Weaver avec enthousiasme, que : « La mort de Chenevert et son triomphe sont le haut point d'un ouvrage de fiction magnifiquement structuré, pour lequel l'auteur doit être considéré comme l'une de nos romancières les plus ambitieuses et dignes d'admiration. »[54]

En choisissant pour héros un être aussi pathétique qu'Alexandre Chenevert, Gabrielle Roy a relevé un défi de taille. C'est parce qu'elle a su, par son art, nous le rendre si sympathique, affirme Margaret A. Heidemann[55], qu'en dépit d'une quasi totale absence d'intrigue, nous suivons la progression de ce personnage déprimant. À l'encontre des louanges généralement adressées à *Alexandre Chenevert,* Gilles Marcotte soutient que « Alexandre reste un thème plutôt qu'un homme »[56]. Loin de le montrer « comme nous aimerions le voir »[57], Gabrielle Roy nous révèle toutes ses faiblesses. Ce qui a attiré à l'auteur certaines critiques, sans pour autant l'empêcher de défendre l'étrange caractère de Chenevert : « Bien des gens ont accusé Alexandre d'être un malade mental, à cause de sa sensibilité exacerbée ; mais cette sensibilité lui était nécessaire s'il devait servir de filtre ou d'écho aux désaccords de notre époque. »[58] Agacement et sympathie alternent ainsi à certains moments, non seulement parce que, jusqu'à un certain point, Chenevert s'inflige sa propre misère, mais parce que le lecteur s'identifie à lui.

De prime abord, Alexandre Chenevert nous apparaît comme Monsieur Tout-le-Monde. Cette impression d'anonymat dans la masse métropolitaine est renforcée encore par le titre anglais du roman : *The Cashier*. Mais petit à petit « l'homme ordinaire » nous révèle son individualité : c'est ainsi que Gabrielle Roy inverse le processus habituel par lequel, dans un roman, un individu se transforme en type. Élizabeth Janeway apprécie particulièrement cette façon de procéder chez Gabrielle Roy : « Voilà la grande réussite de cet écrivain : bien qu'Alexandre souffre comme tout le monde, il n'est pas tout le monde. Il n'est pas un creux symbole, mais un être humain bien défini, c'est-à-dire un sujet de roman. »[59]

Eugénie Chenevert reconnaît volontiers « les belles qualités » de son mari ; mais elle avoue, en même temps, que certains traits tels que sa prudence, son honnêteté et son manque de diplomatie rendent, par leur côté excessif, la vie difficile pour tout le monde. Bourré de contradictions, cet homme qui rêve de fraternité universelle paraît froid et distant à tous, y compris sa femme, sa fille, ses camarades de travail et ses clients.

Gabrielle Roy permet parfois à son protagoniste de percevoir avec réalisme sa misanthropie. Cependant, comme dans *Bonheur d'occasion,* un sentiment de fatalité intervient. Chenevert, pareil à la majorité du genre humain, profite peu de sa propre expérience ou de celle des autres. Ses bonnes résolutions pour changer complètement son mode de vie débouchent inévitablement sur rien.

Tout comme dans *Bonheur d'occasion,* la vie des gens de Saint-Henri avait été bouleversée par les événements mondiaux, *Alexandre Chenevert* nous rappelle sombrement « qu'aucun homme n'est une île ». Mais il y a entre les deux romans une importante différence. Chenevert se considère un citoyen du monde et, à l'encontre des Lacasse, il s'efforce de s'impliquer dans la vie de ses semblables. Ressemblant en cela à l'Emmanuel Létourneau de *Bonheur d'occasion,* il se sentirait diminué en tant qu'homme s'il refusait de lutter contre l'infortune.

S'il désire porter sur ses épaules les fardeaux du monde, ce présumé Atlas n'a guère le physique correspondant à l'emploi. De fait, les inquiétudes qu'il nourrit à l'égard de son prochain contribuent en partie à son mauvais état de santé. Et, bien qu'il soit un employé modèle de la banque, il retire peu de satisfaction de son esprit scrupuleux dans ses relations avec les autres employés ou, de façon générale, dans la vie. Sa santé déclinante approfondit encore son sentiment d'aliénation.

Ce sentiment est encore plus grand et plus tragique ici que celui qui contribue à la dissolution de la famille de *Bonheur d'occasion.* Le caissier a cette même impression d'être un étranger à Montréal qu'il aurait dans toute autre ville, car il est avant tout étranger à lui-même. Chenevert, qui est seul, attribue sa solitude au milieu urbain. Son « désir d'une île déserte »[60] lorsqu'il se trouve dans la métropole et son besoin, une fois arrivé au lac Vert, de la ville, qui lui apparaît comme un foyer de constants échanges fraternels, ne sont qu'un exemple, parmi d'autres, de la personnalité contradictoire du caissier.

« Il lui arriva de se voir dans son propre cœur tel qu'il devait être aux yeux des autres : un homme aigre, contrariant, et qu'il eût été le premier à ne pouvoir supporter... », écrit l'auteur. Mais bien que la réalisation d'être « ... si étranger, si hostile à lui-même »[61] le secoue en profondeur, Alexandre est incapable d'en tirer profit, car, dans la mesure où il attribue à son milieu plutôt qu'à son attitude personnelle son inhabilité d'être lui-même, toute évolution lui est interdite.

La veille de la mort de son mari, Eugénie Chenevert, qui n'a plus guère d'illusions à perdre, en arrive à la triste conclusion qu'elle va perdre un homme qui n'a jamais été ce qu'il aurait pu être.

L'aliénation d'Alexandre relève aussi de sa conception du temps et de l'espace. Ce malheureux fait invariablement abstraction dans sa vie, telle qu'elle est ou telle qu'il la souhaiterait, consciemment ou inconsciemment, du présent. Regrettant le passé, non pas avec la nostalgie d'un bonheur gâché, mais plutôt à cause des occasions manquées, il place ses espérances dans le lendemain. L'avenir, pourtant, paraît imbu de malheurs encore plus grands, surtout à l'échelle mondiale. Il n'y a qu'au lac Vert, alors qu'il échappe momentanément à lui-même, qu'il profite avec reconnaissance de la liberté d'ignorer le passé, et même le futur.

Chenevert considère pareillement les contraintes que lui impose son milieu comme autant d'entraves à sa réalisation personnelle. L'appartement des Chenevert à la ville ne leur permet de jouir d'aucune intimité réelle, de sorte que leurs voisins font figure d'ennemis possibles ou d'étrangers tout au moins. Au travail, Alexandre Chenevert est entouré d'une cage de verre. Tout en sachant que c'est là qu'il faut travailler, il hait cette obligation. Pourtant, durant ses courtes vacances et davantage encore sur son lit de mort, il rêve de retourner dans sa cage, à la banque, qui représente alors pour lui un idéal de « … solidarité humaine »[62].

On aurait tort d'assumer que Gabrielle Roy relie essentiellement les problèmes de l'homme moderne à son milieu urbain aliénant. Et bien que dans son deuxième roman, *La Petite Poule d'Eau* (qui précéda immédiatement *Alexandre Chenevert*), elle nous présente une existence pastorale idéalisée, celle-ci n'est pas chez elle généralisée. Rappelons-nous la cruelle déception de Rose-Anna, dans *Bonheur d'occasion,* lorsqu'elle retourne à la maison de son enfance. Mais aussi longtemps que Chenevert n'est pas en paix avec lui-même, il ne peut l'être non plus avec les autres, ni avec son entourage. Prisonnier de lui-même, il trouvera le cottage du lac Vert trop exigu, mais sera écrasé par la vaste étendue du paysage. Il écourtera donc ses vacances pour retourner à la ville qu'il avait quittée à peine quelques jours plus tôt, « troublé comme s'il sortait de prison »[63].

Alexandre Chenevert domine de si haut les autres personnages qu'ils n'ont d'importance que par rapport à lui. Plutôt que d'être représentés comme des personnalités distinctes, ce ne sont pour la plupart que des types tels que le gérant de banque et le médecin. C'est uniquement pour cette raison qu'il faut nous arrêter au père Marchand. Il permet en effet à la romancière d'approfondir les questions qu'Alexandre Chenevert se pose sur le sens de la vie et de la mort.

La conception qu'a Chenevert de Dieu et de sa relation avec Lui dépend de la perception qu'il a de ses semblables. À mesure que se ternit son image de l'homme, celle de Dieu perd de son lustre, tout comme une image ennoblie de l'homme marquera sa réconciliation avec un Dieu de majesté. À la ville, l'homme tourmenté ne peut concevoir que le Dieu de l'Ancien Testament, un Dieu courroucé, d'une cruauté inimaginable. À la campagne, le caissier, en paix avec lui-même, éprouve un sentiment qui lui a été inconnu jusque-là : « La présence bénigne… une certitude de

Dieu »[64]. Image qui se modifiera de nouveau, avec le retour de Chenevert à la misanthropie.

Quand le chapelain de l'hôpital exhorte Chenevert à se préparer à la mort, le père Marchand, un homme de santé robuste, est forcé de reconnaître peu à peu sa propre insuffisance. Son expérience du monde est trop limitée, et sa foi n'a jamais subi l'épreuve de la souffrance. Contrairement à Chenevert, il n'a jamais vraiment éprouvé d'angoisses métaphysiques. Il n'a pas toutefois la foi du charbonnier comme ce capucin de *Toutes-Aides*, dans *La Petite Poule d'Eau*, dont l'exemple inspire son entourage et dont l'amour de l'humanité s'adresse à tous ses semblables. Le père Marchand est un de ces prêtres « ... pour qui les hommes ne seront jamais supportables qu'à cause de Dieu »[65]. Il se voit forcé de reconnaître l'inefficacité de son message de résignation lorsque le caissier s'insurge contre ses souffrances apparemment inutiles qui font paraître Dieu plus cruel qu'aucun homme. Mais tout comme Alexandre Chenevert en arrive, grâce à son prochain, à une perception plus noble de l'humanité et de Dieu, le père Marchand subit une évolution psychologique et spirituelle. Il est sous-entendu qu'ayant reconnu le potentiel de grandeur de l'individu — dans le cas qui nous occupe, le caissier — il ne pourra plus demeurer indifférent au sort des patients en exerçant son ministère auprès d'eux.

À mesure que se transforme, au cours de la maladie d'Alexandre Chenevert, sa conception de l'homme, sa conception de Dieu se modifie. Mais quand il se rend compte de la compassion que ses connaissances et ses camarades de travail témoignent au malade qu'il est, ses yeux s'ouvrent à la grandeur de l'homme. En revanche, la grandeur de Dieu, qu'il a perçue précédemment, lui paraît maintenant inférieure à celle de l'homme. Alexandre Chenevert ne peut tout simplement pas imaginer que l'amour divin puisse être égal ou supérieur à celui dont l'homme témoigne. Et tout comme Chenevert, réconcilié avec ses semblables, calque sa conception de Dieu sur l'image positive qu'il s'est faite de l'homme, ainsi consent-il enfin à imaginer le paradis selon sa conception la plus idéalisée, mais aussi la plus réaliste, de la vie quotidienne sur terre. « Comme ciel, il ne pouvait voir rien de meilleur que la terre maintenant que les hommes étaient devenus bons voisins. »[66]

Quelle tragique ironie qu'Alexandre Chenevert — Monsieur Tout-le-Monde, mais aussi un individu — se rende compte seulement à la fin de sa vie que, bien qu'il n'en ait rien su, le bonheur avait toujours été à portée de sa main.

CHAPITRE III

INTERMÈDES IDYLLIQUES

Si Gabrielle Roy est consciente de la misère inhérente à la condition humaine, comme elle l'a si bien exprimé dans *Bonheur d'occasion* et *Alexandre Chenevert,* elle n'en demeure pas moins sensible aux beautés de la nature et attirée par la vie simple, ainsi qu'elle l'a démontré dans *La Petite Poule d'Eau* (1950) et *Cet été qui chantait* (1972). Mais alors que la première de ces deux œuvres illustre une vie modeste, en harmonie avec la nature, dans la deuxième, ce sont les plantes et les animaux qui tiennent les rôles principaux, l'homme se contentant d'observer l'harmonie de la nature, plutôt que d'y participer.

Dans sa critique de *Bonheur d'occasion* publiée par le *New York Times,* Mary McGrory écrit : « Les lecteurs américains, tout en admirant les caractérisations très vivantes de l'auteur, son honnêteté à toute épreuve et sa compassion, auront peut-être du mal à la lire jusqu'au bout. Ils lui reprocheront sûrement son manque d'humour. »[1] Cette réaction au côté sombre du premier roman de Gabrielle Roy n'a pas présenté un cas unique, comme l'on peut s'en rendre compte par les réactions de la critique à *La Petite Poule d'Eau :* « Ce livre est un enchantement »[2] affirme Harold C. Gardiner à ses lecteurs. Soulignant « l'humour délicieux et fin » de l'auteur, Gilles Marcotte, par exemple, suggère ceci : « Il semble que Madame Roy, en retrouvant son pays, ait retrouvé sa joie de vivre. »[3] Mary McGrory trouve que, dans ce deuxième livre, Gabrielle Roy, « par contraste avec *Bonheur d'occasion,* fait preuve d'un humour primesautier et d'une compréhension qui donnent à ces nouvelles beaucoup de chaleur »[4]. Andrée Maillet est également remplie d'admiration. « *La Petite Poule d'Eau,* écrit-elle, est au-dessus de toute critique. »[5] William Arthur Deacon, qui avait déjà parlé avec tant d'enthousiasme de *Bonheur d'occasion,* se montre tout aussi généreux envers le deuxième livre de l'auteur : « Aucun autre écrivain de talent n'a tenté de recréer pour nous la vie de notre plus lointaine frontière... Mlle Roy s'est attaquée à cette tâche unique avec une vision et une compréhension rares qui se reflètent dans son style gracieux et aimable. »[6] Janet C. Oliver admire également le style de Gabrielle Roy : « Rarement publie-t-on un livre d'une si grande beauté tant du point de vue de l'expression que de celui du thème. Car il nous procure la même satisfaction intellectuelle et émotive que nous inspire un beau poème. »[7]

Bien que *Cet été qui chantait* ait mérité les louanges d'une partie de la critique, notamment de François Ricard[8] et de Jean Éthier-Blais[9], certains lecteurs furent déroutés par son apparente simplicité et son sujet. Certaines des critiques négatives dirigées contre cet ouvrage — François Ricard[10] ne le considère « aucunement naïf » ; au contraire, on y décèle « l'état ultime » où peut parvenir ce que nous avons appelé la « projection utopique » — peuvent fort bien dépendre de l'atmosphère qui prévaut dans le monde d'aujourd'hui.[11] En revanche, il n'est pas impossible que le lecteur trouve dans *Cet été qui chantait* — selon Éthier-Blais, un poème qui se lit « comme si la terre écrivait son histoire »[12] — un monde évocateur de celui du *Dialogue avec les bêtes* de Colette ou de l'*Hyacinthe* d'Henri Bosco.

La Petite Poule d'Eau

Ce livre retrace les origines de *La Petite Poule d'Eau,* un récit que l'auteur considère une étude de « ... l'humanité sans la civilisation, l'humanité avant la civilisation... une invraisemblable opposition »[13]. Paradoxalement, cet ouvrage qui illustre la vie primitive des insulaires de *La Petite Poule d'Eau* tire son inspiration de la découverte par l'auteur, lorsqu'elle vivait en France, d'un des plus éclatants chefs-d'œuvre de la civilisation, la cathédrale de Chartres. Ainsi qu'elle le confiait à Ringuet, au cours d'une interview, Chartres lui apparut comme « ... le plus beau joyau qu'ait créé l'artifice des hommes »[14].

Tout comme elle le fit pour ses deux romans de la ville, *Bonheur d'occasion* et *Alexandre Chenevert,* Gabrielle Roy décrit en détail le milieu manitobain des Tousignant. Son expérience d'institutrice, avant son départ pour l'Europe, à l'été de 1937, a sans doute contribué à l'élaboration des personnages et des événements de ce récit simple et idyllique.

La contribution personnelle de l'auteur ne doit cependant pas être minimisée, puisqu'elle affirme en se référant à ses personnages : « Ils n'existaient pas. Je les ai créés », ajoutant néanmoins que : « L'inconscient est plus important dans le processus de création que le conscient. »[15]

« La qualité onirique qui en résulte, avoua tristement Gabrielle Roy à Donald Cameron, relève de la nostalgie et d'espérances tragiques, car c'est la vie telle qu'elle aurait pu être ou pourrait être. »[16] B. K. Sandwell est également d'accord sur sa portée universelle : « Des gens simples faisant des choses simples, mais décrits avec tant de tendresse qu'ils atteignent à l'universel, et que la rivière de *La Petite Poule d'Eau* devient un symbole du monde. »[17]

LA PETITE POULE D'EAU *(304 p.)*

Oeuvre de douceur et d'expérience, ce roman a été publié pour la première fois en 1950. Il a été traduit en anglais et en allemand.

L'illustration de la page couverture est une œuvre de Jean-Paul Lemieux.

En contraste très vif avec *Bonheur d'occasion* et *Alexandre Chenevert*, l'homme vit en parfaite harmonie avec son milieu, dans *La Petite Poule d'Eau*. Le lecteur comprend que l'indépendance dont jouissent les Tousignant dans leur isolement crée une atmosphère de bonheur, de paix et d'unité. Ils ont ainsi la liberté de réaliser leurs rêves et de faire avec confiance des projets d'avenir. Dans *Bonheur d'occasion,* au contraire, l'absence d'espace vital est en partie responsable de la dissolution progressive de la famille. Le destin de Luzina Tousignant — contrairement à celui de Rose-Anna et à celui de Florentine — ne paraît pas dépendre de forces sociales ou politiques sur lesquelles elle ne peut exercer aucun contrôle. L'harmonie qui existe entre l'homme et la nature aide celui-ci à se réaliser complètement, de sorte que Rose-Anna Lacasse et, dans une certaine mesure, Alexandre Chenevert peuvent être considérés comme la tragique contrepartie de Luzina Tousignant et du père Joseph-Marie.

Luzina Tousignant sert de lien entre les trois parties de *La Petite Poule d'Eau ;* celles-ci n'étant pas présentées par ordre chronologique peuvent être lues indépendamment. Cette façon de procéder n'a pas reçu l'approbation unanime de la critique. Là, où Gordon Roper, par exemple, conçoit *La Petite Poule d'Eau* comme un « roman de choix », apparenté à l'idée du « roman démeublé »[18] de Willa Cather, G.-A. Vachon[19] considère pour sa part ces nouvelles comme autant de romans manqués, dû au fait que l'auteur ne s'est pas donnée complètement à l'univers fictif qu'elle tentait de créer.

Dans « Les Vacances de Luzina », Gabrielle Roy fait sentir au lecteur, dès le tout début, l'extrême isolement de l'île nommée *La Petite Poule d'Eau.* À cause de leur isolement, les Tousignant, qui gèrent un ranch de moutons, ont à faire face à de réels dangers et à subir de dures épreuves. Mais à l'encontre de *Bonheur d'occasion,* les épreuves, ici, ne sont jamais insurmontables. Irradiant de l'amour à toutes les vies qu'elle touche, ne serait-ce que brièvement, Luzina a un charisme qui consiste à révéler aux autres des raisons d'être heureux. Lorsqu'elle quitte l'île pour prendre « ses vacances annuelles », Luzina y rapporte invariablement « l'irremplaçable cadeau », un autre bébé auquel elle a donné naissance à l'hôpital communautaire.

Rien d'étonnant par conséquent à ce que Gabrielle Roy accentue surtout, dans ce personnage, son rôle de mère. L'auteur ne saurait rendre un plus grand hommage à une femme, car elle croit ceci sincèrement : « Une mère qui réussit son enfant, c'est encore la plus belle réalisation humaine. »[20]

« Servir sa famille » devient le premier devoir de Luzina. Une générosité et un amour débordants se combinent chez elle à un don d'émerveillement et à une curiosité exceptionnels. Pour elle, toute relation avec ses semblables est un enrichissement. Bien qu'elle se laisse inévitablement captiver par les rares ouvrages d'imagination qui lui parviennent, elle considère sa propre condition comme plus belle, plus gratifiante. Persuadée que « la connaissance donne la possession »[21], elle tient essentiellement à faire instruire ses enfants.

Son propre sentiment de sécurité permet sans doute à Luzina d'encourager ses enfants dans leur désir d'indépendance. Ironiquement, l'enseignement que Luzina établit dans son île isolée pour le bien de ses enfants est justement ce qui les éloignera plus tard de leur foyer. L'éducation reçue les poussera en effet à préférer un autre mode de vie. Le fossé entre les générations se manifeste dans *La Petite Poule d'Eau* sur les plans physique et intellectuel. Luzina, par exemple, consciente de son infériorité intellectuelle, hésitera à adresser une lettre à ses enfants, de peur que des étrangers n'examinent l'enveloppe. Mais étant donné que l'amour de leur mère leur donne une sécurité émotive et qu'ils rendent hommage à son esprit de sacrifice et à son dévouement, il n'y a chez eux aucun sentiment d'aliénation, comme c'est le cas dans *Bonheur d'occasion.*

Dans la deuxième partie de *La Petite Poule d'Eau,* « L'École », Gabrielle Roy introduit le monde extérieur dans cette île idyllique. Souvent avec des touches d'humour, elle raconte les efforts des Tousignant pour que leurs enfants aient une école, ainsi que le va-et-vient des différents instituteurs.

Sans instituteurs permanents, l'instruction des enfants est forcément inconsistante et incomplète. Mais, suggère l'auteur, ce qui est plus important encore, c'est que les personnalités des divers instituteurs et leur méthode d'enseignement rendent les enfants plus tolérants.

La jeunesse et l'amour que Mlle Côté leur manifeste séduisent presque instantanément les enfants Tousignant, timides et affectueux. Le désir de plaire à leur charmante maîtresse les pousse à vouloir apprendre. Les souvenirs les plus vivants des premières institutrices de l'île sont associés à leurs leçons de géographie et à la fierté que suscite en eux leur héritage français.

Mlle O'Rorke, en revanche, une vieille fille excentrique, qui trouve à redire à tout, a une main de fer et les enfants apprennent leurs leçons à contrecœur : Luzina saisit l'occasion pour leur faire valoir que l'ignorance du français de leur maîtresse leur fournit l'immense chance d'apprendre l'anglais. Et alors que Luzina réussit toujours à voir les autres sous leur meilleur jour, ce n'est qu'au moment du départ que l'excentrique demoiselle anglaise reconnaîtra les avantages de sa situation.

Le meilleur enseignant de tous est peut-être Armand Dubreuil. Il ne s'intéresse pourtant pas tellement à l'enseignement, du moins pas à l'enseignement traditionnel. Proclamant : « La nature, voilà ma méthode », il préfère aller à la chasse et ne fera d'ailleurs pas de vieux os dans l'île. Comme, par ailleurs, il apprécie hautement l'atmosphère paradisiaque de la région, il conseille à Luzina de fermer son école pour éviter que le « ... mécontentement (d'abord) qui est la source de tout progrès »[22] ne mette fin à leur existence paisible.

Comme l'a fait remarquer Annette Saint-Pierre[23], après avoir traité dans la première et la deuxième parties respectivement des aspects physiques et émotifs-intellectuels, Gabrielle Roy aborde, dans la troisième partie, « Le Capucin de Toutes-Aides », le rôle de la religion dans la vie des Tousignant.

Le père Joseph-Marie est un homme à la foi simple, chez qui la compréhension de la nature humaine et la capacité d'aimer se rapprochent de celles de Luzina, bien que la sphère d'influence de celle-ci soit moindre. « La douleur du monde restait pour lui intacte, toujours indéchiffrable ; mais de même la joie et l'amour. »[24] Cet homme au cœur d'or inspire en Luzina la révérence et la reconnaissance pour « la visite annuelle de Dieu » ainsi qu'un dévouement maternel pour assurer son bien-être quotidien. Homme d'action, le capucin s'efforce de répondre aux besoins terrestres et spirituels de ses paroissiens. « Libre d'aimer », il répand un message de liberté et d'amour parmi les ouailles issues de diverses origines de sa vaste paroisse, se servant de mots simples et d'illustrations prises dans leur vie de tous les jours.

Les limites géographiques de *La Petite Poule d'Eau* sont exiguës. Mais Gabrielle Roy peuple la région de gens de diverses nationalités dont la présence se conforme à la réalité de la « mosaïque » canadienne. Les gens que Luzina rencontre lors de ses « vacances » annuelles sont le juif Abe Zlutkin, qui parle toujours avec fierté de sa femme. Les Bjorgsson, une famille islandaise, invitent une fois Luzina à passer la nuit chez eux. En ville, elle fait la connaissance d'Anton Gusaliek, l'Ukrainien, de Mme McFarlane et d'Aggi, originaires d'Écosse, de même que de la famille de Nick Sluzick. Les voisins immédiats des Tousignant, les Mackenzie, sont des Métis. La barrière du langage complique parfois les contacts entre toutes ces nationalités. Mais cela ne se produit que superficiellement, suggère l'auteur, lorsque les intéressés laissent parler leur cœur. Et tout comme l'exemple de Luzina illustre la manière dont, sur le plan personnel, il est possible de franchir les barrières, le père Joseph-Marie attire aussi à lui des gens d'autres religions, juifs et protestants.

Cet été qui chantait

Le titre même de ce livre (1972) évoque les couleurs, les paysages, les parfums et les sons du comté de Charlevoix, au nord de Québec, où, « sensible peintre de la nature »[25], ainsi que la décrit Paula G. Lewis, Gabrielle Roy passe régulièrement ses étés.

Une de ces nouvelles, toutefois, « L'Enfant morte » renoue avec le Manitoba. Par ailleurs, dans ce livre, la femme de lettres accorde à la sensibilité et à l'atmosphère une place plus grande qu'elle ne l'avait faite dans *La Petite Poule d'Eau,* écrit bien avant. Le ton y est plus sombre, ou du moins plus tranquille. L'humour, grâce auquel l'auteur évite de tomber dans la sensiblerie et le mélodrame, en est à peu près absent. *Cet été qui chantait* « qui capte par sa prose lumineuse ce que la vie à la campagne a de plus poétique »[26] est une ode à la vie, où animaux et plantes — une grenouille, des corbeaux, des vaches, des marguerites et des arbres, pour n'en nommer que quelques-uns — sont mis en scène. En fait, des dix-neuf courtes nouvelles, deux seulement ont des humains comme protagonistes. Les cycles de la nature donnent à l'homme à la fois le sens de sa mortalité et celui de sa solitude fondamentale. Les rapports de l'homme avec la nature illustrent peut-être chez lui le besoin de surmonter cette solitude. Dans la mesure où les vies animale et végétale reflètent bien souvent l'existence humaine, l'homme se rapproche de la nature. Bien que ces réminiscences, qui ont souvent des résonances religieuses, ne prétendent pas servir

CET ÉTÉ QUI CHANTAIT *(224 p.)*

Publié pour la première fois en 1972, ce roman est le huitième ouvrage de Gabrielle Roy.

de paraboles, la vie des animaux et des plantes observée par l'auteur, et partagée avec le lecteur, est un microcosme de notre univers. Plus d'une fois, Gabrielle Roy trace des parallèles explicites ou parsème ces anecdotes de commentaires philosophiques. Ainsi dans « La Gatte de monsieur Émile », où est décrite la transformation de la gatte — un coin de terre apparemment stérile — en jardin fleuri, l'auteur note : « Mais les plantes sont comme les humains. Un groupe vit-il heureux dans un endroit, tout le monde veut y prendre pied. »[27] Également, dans « La Nuit des lucioles », Gabrielle Roy médite : « Peut-être les lucioles ne vivent-elles que le temps de briller un instant d'un vif éclat. Comme nous tous d'ailleurs ! Heureux ceux qui, du moins avant de s'éteindre, auront donné leur plein éclat ! Pris au feu de Dieu ! »[28]

La communication entre l'homme et la nature peut s'intensifier encore, les animaux observant les gens qui les entourent, doués d'une certaine intelligence, se conduisant presque comme les humains. La nouvelle « Les Vaches d'Aimé » illustre brièvement les réactions des vaches du voisin à la visite de la dame de la ville (l'auteur). Dans « La Messe aux hirondelles » — qu'un Paul Gay enchanté considère « du pur Daudet »[29] —, les animaux semblent participer à la célébration de la messe et, dans « De retour à la mare de Monsieur Toong », où Gabrielle Roy et une amie déplorent l'absence des coassements de la grenouille, « les oiseaux nous reprochaient nos questions humaines insipides. Tous ne sont pas heureux au même moment, nous rappelaient-ils »[30].

De telles tentatives de réconcilier la nature et l'homme, d'exposer, dans la réalité ambiante, le monde intérieur, sont conformes à la tendance de Gabrielle Roy de regarder au-delà des apparences. La ligne qui sépare de telles réflexions de la sensiblerie et des mélodrames est extrêmement mince. Ainsi que le fait remarquer François Ricard, le lecteur ne doit pas juger *Cet été qui chantait* comme un ouvrage « réaliste » ; sa destination véritable est « d'ordre imaginaire ou mythique... une autre figure du monde d'innocence... vers lequel elle n'a cessé de s'acheminer »[31].

Comme le pense François Hébert[32], c'est une faiblesse, chez Gabrielle Roy, que de vouloir ici être trop explicite, de sorte que les paroles des animaux sont superflues. Le lecteur qui saura cependant suspendre son jugement critique et accepter la magie de cette œuvre de Gabrielle Roy y verra certainement « Un été qui chantait ». Pour y arriver, le lecteur doit retrouver la candeur de l'enfance. Dans ce sens, la dédicace de l'auteur est significative : « Aux enfants de toutes saisons à qui je souhaite de ne jamais se lasser d'entendre raconter leur planète Terre. »[33]

Dans cette « Ode à la joie »[34], Gabrielle Roy recrée l'atmosphère et les rythmes d'un été. Ses réflexions sont en même temps éternelles et prémonitoires et, consciemment et inconsciemment, s'inspirent des expériences et de la sagesse du passé. Ainsi la célébration de la vie ne peut nier sa fragilité ; les souvenirs ou l'anticipation de la mort sont toujours présents. C'est évident dans « L'Enfant morte » et « Le jour où Martine descendit au fleuve ». Mais si la mort, ou du moins la conscience qu'a l'homme de sa mortalité, est toujours présente, la mort, en contraste avec les horreurs de l'agonie et la façon qu'elle nous est présentée dans *Alexandre Chenevert,* est ici considérée comme partie intégrante de la vie.

Dans « L'Enfant morte », Gabrielle Roy se demande pourquoi des pensées tristes s'immiscent soudain et inexplicablement dans « Cet été qui chantait ». Et elle revit par la pensée sa première journée comme institutrice dans un village pauvre. Blessée par l'attitude « inconcevablement distante » des enfants à son égard, elle réussit à vaincre leurs réticences en leur proposant d'aller rendre un dernier hommage à une camarade décédée la nuit précédente.

Dans « Le jour où Martine descendit au fleuve », elle évoque le souhait de la vieille femme : « Si je pouvais encore une fois au moins dans ma vie descendre au fleuve ! »[35] Troublée, la cousine Martine, « une créature tendue vers Dieu »[36], revoit son passé en longeant la berge familière, et réfléchit sur le sens de la vie : « Et elle était contente enfin d'avoir vécu. »[37] Ce retour à la rivière de son enfance est une sorte de pèlerinage qui rappelle celui de la mère de Christine dont le retour aux collines d'Altamont est raconté dans la nouvelle-titre de *La Route d'Altamont*. Dans *Cet été,* comme dans *Rue Deschambault,* l'introspection et les interrogations sur le sens de la vie sont traitées de façon plus directe et plus extensive.

Deux contes pour enfants

Ma Vache Bossie (1976) et *Courte-Queue* (1979) méritent d'être discutés brièvement. Les jeunes lecteurs considéreront peut-être plus tard ces deux contes comme ayant été une introduction à l'œuvre de Gabrielle Roy. Ils seront alors en mesure de noter que ces deux livres, malgré leurs différences, se rattachent à l'ensemble de l'œuvre de cet écrivain.

Alors que *Courte-Queue* est écrit sur le mode poétique, *Ma Vache Bossie* est typique du style plus direct et plus réaliste de Gabrielle Roy. *Ma Vache Bossie* fut un conte d'abord publié, avec de légères variations, en 1963 dans un magazine rural. Les événements qui menèrent à l'élaboration de ce conte auraient pu fort bien

MA VACHE BOSSIE *(46 p.)*

Conte pour enfants, illustré par Louise Pomminville.

avoir eu lieu *Rue Deschambault,* et la narratrice, parlant à la première personne, ressemble par certains côtés à Christine. Il est toutefois heureux que *Ma Vache Bossie* ne soit pas un récit inclus dans *Rue Deschambault* ou *La Route d'Altamont,* car le style de Gabrielle Roy y est plus près de celui de son œuvre journalistique que de celui des deux livres plus personnels, où elle évoque ses souvenirs d'enfance.

En revanche, le ton et l'atmosphère de *Courte-Queue* auraient fort bien justifié que ce récit trouve sa place dans *Cet été qui chantait.* Bien que ce conte ayant pour personnage principal un chat fantasque ait mérité à son auteur le prix du Conseil des arts pour le meilleur livre pour enfants écrit en français en 1979, le lecteur adulte est sans doute plus apte à apprécier l'usage poétique de la langue.

Ma Vache Bossie a pour thème le don d'une vache à la jeune narratrice de huit ans, qui d'ailleurs demeure anonyme. Personne dans la famille n'est préparé à, ni capable de s'occuper de la bête, de sorte que, bien que le cadeau ait été fait de bonne foi, il n'apporte que des problèmes aux intéressés.

COURTE-QUEUE *(52 p.)*

Ce conte pour enfants, publié pour la première fois en 1979 et illustré par François Olivier, a obtenu le prix Littérature de jeunesse du Conseil des arts du Canada. Il a été traduit en anglais.

Lors de la parution de cet album Gabrielle Roy a fait don de ses droits d'auteur à l'UNICEF (Québec).

Au bout d'un an, on revend la vache. Même si l'enfant a, durant ce temps, quelque peu acquis le sens des affaires, elle découvre, à sa grande déconvenue, que le profit qu'elle croit avoir tiré de la vente de son lait a déjà été dépensé pour acheter le foin, et qu'elle doit rembourser sa mère pour des dépenses considérées comme un simple emprunt. Les touches d'humour dont ce conte est parcouru le sauvent des sombres associations caractéristiques de *Bonheur d'occasion* ou du « Déménagement » dans *La Route d'Altamont*.

Le nom de « Courte-Queue », qui donna son titre au deuxième conte pour enfants de Gabrielle Roy, rappelle l'une des premières mésaventures de la chatte, alors qu'encore chaton, elle s'était fait mordre la queue par le chien de la ferme, qui avait emporté le morceau.

Plus tard, après qu'on aura noyé sa première portée, Courte-Queue adopte d'autres chatons. Pour les préserver du même sort, elle les cache dans des endroits mystérieux. À l'approche de l'hiver, elle doit faire confiance à sa maîtresse Berthe — avec qui le lecteur a déjà fait connaissance dans *Cet été qui chantait* — pour sauver ses petits protégés. L'auteur illustre avec beaucoup de chaleur l'évolution des relations entre la chatte et sa maîtresse, à mesure que la confiance de la bête arrive à convaincre Berthe, contre toute raison, de garder à la ferme une nouvelle portée de chatons importune.

Les illustrations vigoureuses et colorées de Louise Pomminville, et les dessins plus délicats, plus retenus de François Olivier pour *Ma Vache Bossie* et *Courte-Queue* respectivement, reflètent admirablement les styles différents de ces deux livres.

CHAPITRE IV

UN PÈLERINAGE DANS LE PASSÉ

Rue Deschambault et *La Route d'Altamont*

Par son titre même, *Rue Deschambault* (1957) centre l'attention sur la nature profondément personnelle de cette série de nouvelles qui évoque la vie natale et le foyer paternel de Gabrielle Roy. D'une part, il y a les habituelles remarques de la préface : « Certaines circonstances de ce récit ont été prises dans la réalité ; mais les personnages, et presque tout ce qui leur arrive, sont jeux de l'imagination. »[1] D'autre part, l'auteur reconnaît volontiers le caractère autobiographique de ce livre : « Une grande partie offre en effet un parallèle avec ma propre vie. Le décor et l'atmosphère sont ceux de Saint-Boniface où j'ai grandi. Mais j'ai naturellement transposé mes souvenirs — déjà transformés par le passage des années — et peut-être — j'espère avoir réussi — les ai-je transfigurés. »[2] On pense à cette phrase de Colette dans *La Naissance du jour :* « Imagine-t-on, à me lire, que je fais mon portrait ? Patience, c'est seulement mon modèle. »[3]

Gabrielle Roy réussit si bien cette « transfiguration » de son expérience que le titre anglais de *Rue Deschambault, Street of Riches* (La rue des richesses) paraît tout à fait approprié. Le mariage de l'autobiographie et de la fiction qui rappelle Colette, admirée par Gabrielle Roy, est également caractéristique du livre qui devait faire suite à *Rue Deschambault, La Route d'Altamont* (1966), un livre que Robert Cormier considère « animé d'une tendre magie »[4].

À travers Christine — la narratrice des dix-huit portraits réunis dans *Rue Deschambault* et des quatre nouvelles assemblées dans *La Route d'Altamont* —, Gabrielle Roy dépeint une série de personnages et relate des incidents qui ont marqué sa vie, depuis sa tendre enfance, dans « Les Deux Nègres », jusqu'à son adolescence, dans « Gagner ma vie ... », de *Rue Deschambault*. Reprenant la quête de soi, dans *La Route d'Altamont,* l'auteur retourne à ses premières années, avec « Ma grand-mère toute-puissante » et la nouvelle-titre, « La Route d'Altamont », où elle relate certains incidents de sa jeunesse. Le titre de cette collection de nouvelles est de nouveau un choix opportun, car, ainsi que nous serons amenés à le constater, la route « passé Altamont » que prendront Christine et sa mère lors d'une excursion dans le sud du Manitoba symbolisera, avec le temps,

RUE DESCHAMBAULT *(312 p.)*

Publié pour la première fois en 1955, ce roman est le quatrième de Gabrielle Roy. Il a valu à son auteur le Prix du gouverneur général du Canada et a été traduit en anglais et en italien.

pour la jeune femme, à la fois une fin et un commencement, la croisée des chemins entre sa vie dans la maison familiale et un avenir indépendant.

Rue Deschambault mérita, dès sa publication, et à quelques exceptions près, l'accolade de la critique. Les articles de Pierre Lagarde[5], de Pierre de Grandpré[6] et d'Andrée Maillet[7] en sont témoins, de même que les trois opinions suivantes :

Guy Robert considéra *Rue Deschambault* comme « l'œuvre ... certainement l'une des plus originales et des mieux réussies de notre littérature canadienne-française »[8]. « Mlle Roy a vu et senti dans la vie une tristesse inhérente qu'elle a su magnifiquement nous communiquer », remarque Ted Honderich, poursuivant : « Ce sentiment sous-jacent se manifeste avec tant de beauté qu'il devient impossible de le décrire suivant les termes logiques de la prose critique. Mlle Roy est venue tout près de nous donner à voix basse un poème tragique. »[9] Tandis que, pour citer Miriam Waddington, « Gabrielle Roy est arrivée au stade où son style est ni plus ni moins son moi. Et c'est cette individualité, cette personnalité unique, qui émerge aussi naturellement de ces pages, aussi intimement et aussi inévitablement que la vie elle-même »[10].

La Route d'Altamont fut accueillie avec encore plus de ferveur. Gilles Marcotte[11] affirme que ce livre, inspiré des souvenirs de son enfance, n'aurait pu être écrit que par un écrivain d'une grande maturité. De même opinion, David Helwig qualifie *La Route d'Al-*

tamont d'ouvrage « d'un sens profond et d'une grande sagesse »[12]. En même temps, André Major note avec ravissement : Gabrielle Roy « entraîne ses lecteurs dans un royaume enchanté »[13]. Le critique américain Josephine Braden trouve également que *La Route d'Altamont* est « un livre exceptionnel, charmant ». Évoquant les croquis que Katherine Mansfield a tirés de son enfance, elle en arrive à la conclusion que ces deux écrivains « irréprochables, sont également maîtres de leurs impressions et capables de les exprimer de façon non seulement à intéresser le lecteur mais à l'émouvoir »[14].

Avant d'approfondir davantage notre analyse de la technique de Gabrielle Roy et du contenu de *Rue Deschambault* et de *La Route d'Altamont,* arrêtons-nous un moment pour identifier les expériences qui ont incité Gabrielle Roy à partager ses souvenirs avec ses lecteurs. Cette période de la vie de l'auteur, note François Ricard[15], s'étend approximativement de 1911 à 1928 et de 1911 à 1937, pour ce qui est de *Rue Deschambault* et de *La Route d'Altamont* respectivement.

La « Petite Misère », de *Rue Deschambault,* est en réalité la petite Christine elle-même. Ce court récit souligne le caractère tragique du père. Dans « Les Déserteuses », au contraire, l'auteur nous fait un vif portrait de sa mère enjouée. La joie de vivre et le désir de liberté de celle-ci sont tels que, dans le but « d'être peut-être une meilleure épouse », elle se rend en visite à Québec avec la plus jeune de ses enfants, sans en informer son mari que son travail éloigne parfois du foyer pour de longues périodes. Le caractère sombre du père est par contre illustré dans « Le Puits de Dunrae », qui évoque un incendie désastreux. « Le Jour et la Nuit » résume symboliquement pour Christine, alors adolescente, les caractères radicalement opposés de ses parents.

Dans « Pour empêcher un mariage », « Un bout de ruban jaune » et « Alicia », où l'attention se concentre sur trois des sœurs aînées de Christine, l'auteur souligne l'étrange ambivalence qui existe parfois entre le monde des adultes et celui de l'enfance.

Parmi les membres du cercle familial de Christine, « Ma tante Thérésina Veilleux » éveille des souvenirs particulièrement vifs. « Les Deux Nègres », « L'Italienne » et « Wilhelm » rappellent à Christine quelques-uns des premiers contacts survenus entre sa famille et divers membres des différentes ethnies du Canada. Alors que, dans sa maturité, Christine fait preuve d'humour en repensant à ces événements, Gabrielle Roy a tenu à illustrer dans ces courtes nouvelles comment les préjugés des adultes sont susceptibles de porter atteinte à la sérénité du monde de l'enfance et de l'adolescence. Les comptes rendus de la perte du Titanic (« Le Titanic ») laissèrent entrevoir à la toujours curieuse Christine un monde fascinant mais aussi quelque peu terrifiant puisqu'il soulevait la question de l'intervention divine dans la vie humaine. « L'excellence de ce livre, souligne Samuel J. Hazo, est due au fait que Gabrielle Roy, lorsque parfois elle s'intéresse au malheur, ne laisse pas celui-ci gâcher sa description des incidents heureux. »[16]

Les souvenirs évoqués dans « Mon chapeau rose », « Les Bijoux » et « La Tempête » permettent à Christine de se moquer un peu d'elle-même en rappelant certains moments d'insouciance et de frivolité. « Ma coqueluche », « La Voix des étangs » et « Gagner ma vie... » présentent, d'autre part, un intérêt particulier en ce que ces récits illuminent la source de la vocation artistique naissante de Christine.

Toujours désireuse de se connaître mieux, Gabrielle Roy, à travers Christine, recrée encore une fois dans *La Route d'Altamont,* les scènes et les personnes de ses jeunes années. Aussi, dans la première de ces quatre nouvelles, « Ma grand-mère toute-puissante », elle rend hommage à la créativité de la vieille femme qui fabriqua de ses mains une poupée pour sa petite-fille de six ans. Se revoyant à l'époque dans « Le Vieillard et l'Enfant », elle se rappelle la relation intime qui apporta aux deux intéressées un enrichissement, même si elle a pu paraître insolite aux autres.

C'est « Le Déménagement » qui devait apporter à Christine l'une des plus grandes désillusions de son enfance. Toujours en quête d'aventures, elle fut un jour témoin du déménagement d'une famille pauvre qui, comme celle des Lacasse de *Bonheur d'occasion,* s'est vue forcée de trouver à se loger dans un quartier encore plus défavorisé. Et enfin, dans la deuxième nouvelle, *La Route d'Altamont,* on retrouve une Christine plus adulte que celle qui parlait de gagner sa vie (« Gagner ma vie... ») à la fin de *Rue Deschambault*. La décision d'aller au-delà de « La Route d'Altamont » et de se tourner vers l'Europe « pour apprendre à se connaître »[17] devait beaucoup influencer sa vie.

Dans l'analyse finale, néanmoins, ainsi que l'affirme fort justement Élizabeth L. Dalton : « La beauté de ces quatre épisodes ne provient pas de l'intrigue. Elle repose plutôt sur le fait qu'elle ouvre au lecteur une fenêtre sur le cœur humain, l'invitant à réfléchir aux changements qui interviennent constamment dans les relations humaines et la quête universelle d'un au-delà. »[18]

Ce retour au passé, enrichit en même temps l'auteur et le lecteur. « À la recherche du temps perdu », Gabrielle Roy dépasse son expérience purement personnelle pour l'analyser telle qu'elle fut conçue et décrite par une enfant, mais en la filtrant et en l'éclairant, grâce à la compréhension de l'adulte devenu écrivain. Procédé qui évoque certaines réflexions de Marcel Proust : « Mes lecteurs... ils ne seraient pas mes lecteurs, mais les propres lecteurs d'eux-mêmes, mon livre n'étant qu'une sorte de ces verres grossissants...

De sorte que je ne leur demanderais pas de me louer ou de me dénigrer, mais seulement de me dire si c'est bien cela, si les mots qu'ils lisent en eux-mêmes sont bien ceux que j'ai écrits. »[19]

La signification de l'enfance et de la technique narrative

La publication de *La Route d'Altamont,* près de dix ans après celle de *Rue Deschambault,* nous porte à croire que Gabrielle Roy, qui commença les récits inspirés de son enfance quand elle avait plus de quarante ans, partagerait l'opinion de François Mauriac lorsqu'il écrit : « L'enfance est le tout d'une vie, puisqu'elle nous en donne la clef. »[20]

Aussi bien dans *Rue Deschambault* que dans *La Route d'Altamont,* Gabrielle Roy fait pénétrer son lecteur dans un monde enchanté. Son style et l'atmosphère qu'elle a su créer évoquent les œuvres autobiographiques d'une Colette, d'un Marcel Pagnol, d'un Henri Bosco. Par contre, il faut bien reconnaître que de telles « transfigurations » ne plaisent pas toujours aux lecteurs qui apprécient plutôt un ouvrage du type des « Mémoires d'une jeune fille rangée », de Simone de Beauvoir.

Lorsque Christine dit : « Et si c'est cela la vie : retrouver son enfance »[21], elle souligne assez bien l'importance que Gabrielle Roy attache à l'enfance et à son exploration continue comme romancière. « L'enfance », pour citer le poète et critique français Franz Hellens, qui la considère une expérience vitale, « n'est pas quelque chose qui meurt en nous... Elle n'est pas un souvenir... elle continue, à notre insu, de nous enrichir. »[22]

L'importance du souvenir dans l'œuvre de Gabrielle Roy rappelle la remarque en apparence paradoxale de Willa Cather : « Ma vie a débuté quand j'ai cessé d'admirer et commencé à me souvenir. »[23] Il ne faut donc pas interpréter comme un désir d'évasion cette redécouverte du passé. Elle devient au contraire indispensable à une plus grande compréhension du présent et à l'appréciation de « tous ces êtres successifs qu'elle (la vie) fait de nous au fur et à mesure que nous avançons en âge »[24], comme le dit Gabrielle Roy elle-même. « Sans le passé, que sommes-nous ?... » réfléchit la mère de Christine. « Des plantes coupées, moitié vivantes. »[25]

La sincérité de Gabrielle Roy contribue énormément à la vision authentique qu'elle nous donne de l'enfance et de l'adolescence dans *Rue Deschambault* et *La Route d'Altamont*. Les souvenirs ne nous viennent pas dans un ordre rationnel. Dans leur recréation artistique, cependant, ou leur représentation, un certain ordre, un certain rythme s'imposent. Tout comme le romancier tire l'ordre du chaos, Christine (l'image romancée de Gabrielle Roy) tente d'élucider le sens de sa vie et d'en comprendre l'ordre.

À l'exemple de Hans Meyerhoff, on peut tirer de la lecture de *Rue Deschambault* et de *La Route d'Altamont* que : « L'œuvre de création est l'œuvre de la mémoire... Créer une œuvre d'art, c'est reconstruire le monde intérieur et celui de l'expérience. La transmutation de la mémoire créatrice par le processus de la création artistique, fait naître une conception de soi, empreinte d'une unité et d'une continuité indiscernables dans l'expérience immédiate. »[26] Volontaire ou involontaire, la mémoire peut servir de catalyseur, selon Henri Bergson. Nous en voyons respectivement l'illustration dans « Ma tante Thérésina Veilleux » et « La Voix des étangs », deux des nouvelles de *Rue Deschambault*. C'est ainsi que bien que Gabrielle Roy semble avoir classé les nouvelles de ces deux collections par ordre chronologique, elle ne traduit pas ses impressions en s'efforçant de recréer une image complète et uniformisée. De plus et comme elle en avertit le lecteur, il arrive parfois que de grands laps de temps semblent effacés et de longues périodes, condensées. Dans « Ma coqueluche » *(Rue Deschambault)*, elle se rappelle qu'un petit carillon de verre — reçu en cadeau, tandis qu'étendue dans un hamac elle récupérait d'une maladie — avait transformé cet été-là en un unique moment de joie tranquille.

La narration à la première personne prédomine dans les récits illustrant la quête de soi. C'est ainsi que la contrepartie fictive de Gabrielle Roy joue le rôle principal dans six nouvelles de *Rue Deschambault* et dans les quatre nouvelles de *La Route d'Altamont*. Toutefois, à mesure que l'attention passe de Christine à divers membres et parents de sa famille, ainsi qu'aux gens qui entrent dans sa vie à mesure que s'élargit son univers, la perspective personnelle de la narratrice s'enrichit de la participation d'autrui. L'auteur introduit dans le récit « le souvenir » de personnes que la petite Christine ne peut avoir connues, et d'événements auxquels elle n'aurait pu participer. « Le Puits de Dunrae » en constitue un parfait exemple. C'est ici une sœur plus âgée de Christine, Agnès, qui sera chargée par l'auteur, de révéler au reste de la famille un aspect généralement inconnu de la personnalité de son père.

Il faut aussi noter qu'à mesure que la romancière, en vieillissant, scrute plus profondément son passé, elle éprouve le besoin d'étoffer davantage ses récits que ceux de *Rue Deschambault*. Les deux livres atteignent ainsi la même longueur. Tous deux accusent des laps de temps très variables entre les incidents que Christine relate. L'un comme l'autre de ces ouvrages, mais plus particulièrement *Rue Deschambault*, contiennent peu de références précises sur l'âge de Christine.

Gabrielle Roy conçoit essentiellement le temps sous forme de cycle, l'avenir contenant le passé, et le passé anticipant le futur. Les perceptions prospectives et rétrospectives sont également présentes dans son œuvre. L'artiste recrée le passé à l'instant même où la petite Christine le vit (et non l'a vécu) dans toute sa densité. Adulte, Christine se concentre sur le présent et sur les transformations qu'elle a subies, les réflexions du moment présent servant alors de complément aux événements passés qu'elle relate. À ce propos, « Petite Misère » nous servira d'exemple. Christine évoque un souvenir des plus cuisants, associé à son sobriquet « Petite Misère », quand elle avait environ six ans : « Mais un jour, il me jeta le mot détestable avec colère. Je ne sais même plus ce qui avait pu mériter pareil éclat : bien peu de chose sans doute ; mon père traversait de longues périodes d'humeur sombre... J'ai compris plus tard que, craignant sans cesse pour nous le moindre et le pire des malheurs, il aurait voulu tôt nous mettre en garde contre une trop grande aspiration au bonheur. »[27]

En faisant une nette distinction entre la façon de percevoir les choses chez l'adulte et chez l'enfant, Gabrielle Roy surmonte l'un des problèmes les plus difficiles auxquels ont à faire face les écrivains qui traitent de l'enfance.

Même enfant, toutefois, Christine avait conscience de sa dualité : « Car je me dédoublais volontiers en deux personnes, acteur et témoin »[28], écrit l'auteur, en s'imaginant encore une fois à bord de la charrette tirée par un cheval dans « Le Déménagement ».

Le retour de Christine à la *Rue Deschambault* et à *La Route d'Altamont*

Gabrielle Roy aspirait à redécouvrir le sentiment d'exaltation et la magie de son enfance, et elle a magnifiquement réussi à communiquer ce désir à ses lecteurs. Mais il serait erroné de supposer que l'enfance, telle qu'illustrée dans *Rue Deschambault*, se voulait un paradis. Une analyse plus poussée de certaines de ces nouvelles nous en donnera la preuve.

Il est évident que chaque lecteur peut préférer tel ou tel récit de *Rue Deschambault* et de *La Route d'Altamont*. Toutefois, n'est-il pas vrai que, pour nous tous, « Petite Misère » restera le récit le plus poignant, le plus inoubliable des deux collections réunies ? « Petite Misère » — terme employé tantôt pour manifester de l'affection, tantôt de la frustration — prend tout son sens lorsque le père de la petite Christine, dans un moment de dépression et oublieux de la présence de sa fille, déplore le fait d'avoir eu des enfants. Plongée dans le désespoir, Christine éprouve alors un sentiment de totale désolation. La compréhension plus grande de l'adulte vient

LA ROUTE D'ALTAMONT *(260 p.)*

Ce roman a été publié pour la première fois en 1966. Il est traduit en anglais et en allemand.

alors servir de complément aux souvenirs de l'enfant et modifier l'interprétation de l'incident : « Les parents peuvent croire que de telles paroles, bien au-delà de l'entendement des enfants, ne leur font pas de mal ; mais parce qu'elles ne sont qu'à moitié intelligibles pour eux, les enfants les creusent et s'en font un tourment. »[29]

Le sobriquet « Petite Misère » résume à la fois les frustrations de l'homme mûr envers lui-même et son amour pour sa préférée. Cet homme tourmenté s'inquiète pour sa fille, comme lui, si sensible aux épreuves du monde. Mais cette sensibilité même qu'ils partagent risque de créer une barrière entre eux, car Christine qui en est consciente, sentant combien son père souffre silencieusement, tente de réprimer ce côté de sa nature. Jamais l'on ne peut oublier la souffrance de l'enfant ce jour-là. Pourtant, l'auteur transformera cet incident en une expérience d'amour. Tant il est vrai que la manière révèle l'intention. Dans la soirée, le père appelle de nouveau sa fille : « Petite ! Misère ! » ; Christine, qui s'était réfugiée dans le grenier, rend à son père l'amour qu'il a tenté de lui exprimer en lui faisant une tarte à la rhubarbe : « ... une nourriture de plomb que je cherchais à avaler. »[30]

Alors que « Petite Misère » a été tirée de l'expérience personnelle de l'auteur, « Alicia », que Samuel J. Hazo[31] considère égal aux meilleures pages de Willa Cather, est l'un des plus poignants « jeux de l'imagination »[32]. Ironiquement, la sœur de Christine, dont la maladie mentale provient en partie d'un trop grand souci de la souffrance d'autrui, cause elle-même de vives angoisses à sa famille. Les efforts de ses parents pour lui cacher la vérité ne font qu'augmenter les appréhensions de Christine. « Est-ce cela l'enfance : à force de mensonges, être tenue dans un monde à l'écart ? »[33]

Les natures si différentes de ses parents rendent la jeune Christine perplexe, la déconcertent même, car elles semblent un défi à son sens de la loyauté. « Le Puits de Dunrae » et « Les Déserteuses » servent respectivement à illustrer la nature mélancolique du père et la joie de vivre de la mère.

Depuis que le malheur avait frappé le village de Dunrae, le père de Christine éprouvait un étrange sentiment de culpabilité. Reconnaissant que de tous les immigrants confiés à sa charge il avait toujours préféré les Ruthènes, il avait été particulièrement fier de leurs réussites. Et lorsque, au cours d'une de ses visites, un incendie s'était déclaré dans le village, il avait interprété le sinistre comme le châtiment divin de son orgueil. Sans le vouloir, en communiquant aux colons éplorés sa crainte de la colère divine, il avait mis leur vie en danger : au lieu de s'enfuir du village, ils étaient retournés dans l'église livrée aux flammes — espérant dans leur désespoir pacifier le Seigneur par leurs prières. Plus tard, quand le père de Christine trouve refuge dans le puits du village, l'esprit égaré, il se pense déjà mort. Seule l'image de sa fille Agnès qui attend son retour ranime son désir de vivre. Mais l'idée qu'il a « jugé Dieu » restera pour lui un fardeau intolérable.

Le récit amusant d'un voyage clandestin à Québec, dans « Les Déserteuses », jette la lumière sur les sentiments ambigus de Christine à l'égard de ses parents. Il élucide en même temps la perception changeante de Christine en ce qui concerne l'amour vrai que se portent ceux-ci.

Encore d'âge préscolaire, Christine est jalouse de sentir chez sa mère un besoin de liberté. Seul le fait de se savoir incluse dans les projets de voyage de celle-ci arrive-t-il à la rassurer un peu. Dans la mesure où les aspirations de sa mère et son « mal du départ »[34] entrent en conflit avec le rôle traditionnel de la femme, les rêves des parents paraissent à jamais irréconciliables, comme le reconnaît plus tard Christine devenue adulte. Aucun des parents ne comprenait que ce que chacun cherchait, ce dont il avait besoin même, était l'élément introuvable dans la vie quotidienne. Aussi papa, qui par sa situation est forcé de mener « ... une vie errante »[35], s'attend à trouver chez lui de la tranquillité et « du stable, du solide ». D'autre part, ni l'un ni l'autre ne semblaient soupçonner qu'ils auraient pu être tellement plus heureux s'ils avaient réussi, lorsqu'ils étaient seuls, à exprimer leurs sentiments mutuels plus librement, comme ils le faisaient en présence d'étrangers.

Toute fascinée que soit Christine par l'étendue et la beauté du Canada, elle ne manque pas pour autant d'observer astucieusement sa mère et de se rendre compte à quel point le voyage l'a rajeunie. Elle en éprouve du ressentiment envers son père, responsable à ses yeux de l'habituel manque de jeunesse de sa mère.

L'image que se fait sa mère du père de Christine n'est plus, par ailleurs, conforme à la sienne : « Depuis que nous étions en voyage et que maman découvrait tant de qualités à papa, il me semblait ne plus très bien le connaître. »[36] Sur le chemin du retour, maman subit un autre changement. Elle paraît soudain plus vieille et inquiète, se reprochant d'avoir abandonné les siens. Pourtant, comme elle l'explique à une compagne de voyage, elle est partie « peut-être pour devenir meilleure[37] ». Intuitivement, l'enfant précoce résout le dilemme, là où la logique de l'adulte en est incapable : « Moi j'ai tout de suite compris ce qu'elle voulait dire : quand on quitte les siens, c'est alors qu'on les trouve pour vrai, et on en est tout content, on leur veut du bien ; on veut aussi s'améliorer soi-même. »[38]

Un portrait tout aussi révélateur des parents de Christine est esquissé dans « Le Jour et la Nuit », titre qui symbolise pour Christine leur nature opposée. L'adolescente ne trouve pas toujours facile de réconcilier en elle-même les traits qu'elle a hérités d'eux : « Le matin me semblait être le temps de la logique ; la nuit, de quelque chose de plus vrai peut-être que la logique... J'étais partagée entre ces deux côtés de ma nature qui me venaient de mes parents divisés par le jour et par la nuit. »[39] Adulte, Christine refuse de se prendre en pitié. Lorsqu'elle repense au passé, elle regrette d'avoir été si égoïste dans sa jeunesse. Elle attribue le fait d'avoir si mal compris son père au péché d'omission.

Répondant aux critiques déjà citées, voulant que les personnages masculins de Gabrielle Roy soient moins bien campés que ceux de ses femmes, Adrien Thério[40] trouve, au contraire, que le portrait d'Édouard est au moins égal, sinon supérieur, à celui de sa femme.

Rue Deschambault ne manque cependant pas d'humour, et Christine n'hésite pas à nous signaler ses faiblesses. Dans « Mon chapeau rose », on perçoit chez la petite fille une certaine vanité et, par moments, un esprit un peu trop aventureux. De même, dans « Les Bijoux », Christine se moque gentiment de son manque de constance d'alors, allant d'un extrême à l'autre, éprise de toc et de parfums, un moment, pour vouloir aller, l'instant d'après, soigner les lépreux en Afrique.

Devenue adulte, Christine sourit avec indulgence en se rappelant son premier amour. Cette aventure racontée dans « Wilhelm » lui a laissé un souvenir aigre-doux. Craignant que le béguin de leur fille pour « le Hollandais » ne se transforme en relation durable, les parents de Christine, avec les meilleures intentions du monde, détruisent chez leur fille, en couvrant « l'étranger » de ridicule, son acceptation intuitive des autres tels qu'ils sont, indépendamment de leurs différences de nationalité. L'auteur illustre la déconcertante dualité des valeurs du monde adulte lorsque, Wilhelm étant rentré dans son pays et ne représentant plus une menace dans leur esprit, les parents le trouvent un jeune homme vertueux et désirable.

La vocation ou profession future de Christine est longuement évoquée dans *Rue Deschambault* et *La Route d'Altamont*. « Ma coqueluche », « La Voix des étangs », de même que « Ma grand-mère toute-puissante » et « La Route d'Altamont » marquent autant de pas dans la progression de Christine vers la maturité. Ces récits, écrits en dix ans environ, nous permettent de percevoir la conception qu'a Gabrielle Roy du processus créateur et, sur une plus grande échelle, la conception que se fait l'artiste d'elle-même et de son rôle dans la société.

Prenant de plus en plus conscience d'elle-même, la quête d'une identité propre posait à l'adolescente certains problèmes, de sorte que, comme elle se le rappelle dans « Les Bijoux », « être soi-même est justement la chose la plus difficile ».

L'auteur évoque par conséquent avec une grande tendresse, l'été de « Ma coqueluche ». Cette année-là, alors qu'elle avait environ huit ans et qu'elle récupérait après une coqueluche, elle avait passé l'été, libre de tout souci, étendue dans un hamac à écouter la musique d'un petit carillon de verre.

« Ma coqueluche » démontre de façon exceptionnelle comment il est possible, à travers l'art, de retrouver le temps apparemment perdu. Si la mémoire est la faculté de recréer, dans son intensité originelle, le passé, « retrouver le temps perdu » peut devenir un besoin essentiel pour l'artiste en herbe. Ce temps de repos apparent, où l'on s'abandonne à la rêverie, paraîtrait nécessaire à l'absorption et à l'intériorisation d'une matière dans laquelle l'artiste puiserait plus tard.

Parlant des aspirations de Christine à devenir écrivain, Gabrielle Roy attribue beaucoup de sa propre personne au personnage qu'elle crée ou recrée. Elle illustre ainsi idéalement le propos de Louis Dudek : « Le *Je* en littérature relève autant de l'imagination de l'écrivain que tous les autres personnages de son roman. » Par contre, « le dramaturge ou le romancier peut donner vie à certains personnages mais non à d'autres. Il ne peut faire naître sous une autre forme que la vie qui palpite déjà en lui »[41].

Ainsi qu'elle l'évoque dans « La Voix des étangs », l'idée de sa future carrière vint à Gabrielle Roy de façon assez mystérieuse, mais néanmoins irrévocable, lorsque, encore adolescente, elle écoutait, au printemps, le chant des grenouilles. S'étant confiée à sa mère, elle découvre que la question qu'elle se posait ainsi que ses doutes étaient tous deux justifiés. Elle se rend également compte que sa mère a une profonde compréhension du processus de la création. Bien qu'elle ne se berne pas sur les épreuves que l'artiste doit surmonter, la jeunesse de Christine lui interdit de considérer comme essentielle sa solitude.

En attribuant à la jeune Christine la résolution de devenir écrivain, l'auteur de *Rue Deschambault* s'écarte de sa propre vie. Comme nous le savons, c'est en France, où elle fêta ses trente ans, que Gabrielle Roy commença à écrire. En parlant du rôle de l'écrivain et du but que l'artiste se propose d'atteindre, c'est-à-dire l'essence plutôt que le particulier, les idées de Gabrielle Roy sont toutefois conformes à celles de Christine.

Le besoin de « gagner sa vie » déconcerte la jeune idéaliste, car elle oppose la réalité à son monde imaginaire. Puisant de nouveau dans son expérience, l'auteur nous montre chez Christine l'obligation de gagner sa vie, mais acceptant, pour ne pas contrarier sa mère, de devenir institutrice — tout comme Gabrielle Roy.

Pour Christine, comme pour sa créatrice, le temps passé à enseigner dans un petit village de la prairie, s'avérera riche d'expérience. Les enfants accueillent spontanément la jeune institutrice, lui témoignant de l'affection et de la confiance. Elle en retirera elle-même une confiance accrue dans la jeunesse et dans l'avenir. *Rue Deschambault* se termine ainsi sur une note optimiste, correspondant à la philosophie personnelle de l'auteur.

Cette harmonie que Christine ressent en elle-même et à l'égard de son entourage ne peut être que temporaire. Ainsi que nous l'apprend *La Route d'Altamont,* la résolution de devenir écrivain est intimement liée au désir, voire au besoin impérieux, de découvrir le monde. Elle ne pourra que s'y soumettre, en dépit des privations imposées à sa mère et à elle-même.

La quête de l'inconnu est essentielle si Christine, revenant à ce qu'elle connaît, doit pouvoir décrire le monde qui l'entoure. Elle n'est cependant pas prête encore à reconnaître la sagesse de sa mère lui disant : « Un écrivain n'a vraiment besoin que d'une chambre tranquille, de papier et de soi-même... »[42] À l'exemple de sa mère qui avait un jour quitté son époux pour devenir meilleure, le futur écrivain éprouve le besoin de quitter le toit paternel pour trouver sa véritable identité.

Gabrielle Roy nous révèle encore une fois dans cette nouvelle ses sentiments ambivalents en ce qui regarde son départ de la maison familiale : elle s'étend davantage sur la lutte intérieure de l'artiste et son rôle dans la société. Ainsi, comme nous le verrons au chapitre V, le portrait de Christine sert de complément, sur un plan plus personnel, à celui de Pierre Cadorai, dans *La Montagne secrète* (1961).

Le paradoxe existant entre la solidarité que l'artiste partage avec ses semblables et la solitude d'un être privilégié, d'un demi-dieu, illustré par Gabrielle Roy dans son œuvre d'imagination — et qui prend naissance dans ses propres idées et sa lutte personnelle — s'étend aussi au concept que l'acte de création, tout en étant unique, peut se manifester dans les gestes les plus humbles, chez tous les êtres humains. Cette philosophie est illustrée explicitement dans l'essai : « Terre des hommes » (1967). Pour en trouver la source, toutefois, il faut retourner à « Ma grand-mère toute-puissante » et à l'expérience de l'enfant qui y est dépeinte.

La simplicité et les merveilles de la création sont indissolublement associées, pour Christine, à un incident survenu quand elle n'avait que six ans et que sa grand-mère lui avait fabriqué une poupée. En observant la vieille dame, l'enfant s'initie aux mystères de la création. Car, aussi humbles que puissent être ses débuts, l'acte créateur, lorsqu'il atteint les sommets, contient une parcelle de divinité. Consciente intuitivement de cette vérité, la petite s'écrie : « Tu es Dieu le Père ! Tu es Dieu le Père ! Toi aussi, tu sais faire tout de rien ! »[43]

Accablée par le sentiment de son inutilité, la grand-mère est naturellement flattée de cet hommage. Mais étant humble, elle s'empresse de souligner ses limites à sa petite-fille. N'en démordant pas, Christine continuera de considérer sa grand-mère comme « toute-puissante », et son image sera intimement liée, dans son esprit, à celle qu'elle se fait de Dieu.

Le fait que Gabrielle Roy croit en la noblesse fondamentale de l'homme — ainsi qu'elle en témoigne dans « Terre des Hommes » — explique qu'elle soit persuadée que nous participions tous au processus de la création qui se manifeste de tant de façons. Cependant, comme elle le fait souvent, elle nous présente aussi l'autre côté de la médaille. Christine, qui avait tant admiré les dons de sa grand-mère à peine un an plus tôt, est perplexe de voir celle-ci tellement affaiblie qu'elle est en train de devenir l'ombre d'elle-même.

« Ma grand-mère toute-puissante » se termine sur l'image de Christine montrant à sa grand-mère paralysée son album de photos. Ce faisant, elle se rend vaguement compte des changements que le temps effectue en nous et de la nature cyclique d'une vie passée « ... à tâcher de nous rencontrer[44] », pour employer le terme de Gabrielle Roy.

« Tâcher de nous rencontrer », l'un des thèmes principaux de *La Route d'Altamont,* relie directement les première et dernière nouvelles de ce recueil. Gabrielle Roy commente ainsi sa signifi-

FRAGILES LUMIÈRES DE LA TERRE *(256 p.)*

Le livre regroupe une série d'articles, essais, discours et reportages de Gabrielle Roy publiés entre 1942 et 1970.

cation : « ‹La Route d'Altamont›, ce sont des rencontres après le présent. C'est une sorte de cercle rétréci, dans lequel vous comprenez votre mère quand vous atteignez l'âge que vous aviez lorsqu'elle vous a dit telle chose et que vous ne pouviez pas le comprendre. C'est une tragédie, et aussi quelque chose de très beau, parce que finalement on y arrive. »[45]

Ces réflexions ont pour point de départ le récit que font Christine et sa mère de deux excursions — ou du souvenir qu'elles en ont gardé. Pour Christine, maintenant jeune femme et rêvant d'aller en Europe, le bonheur et l'avenir se présentent comme la vaste étendue de la prairie dont elle est l'enfant. La mère, au contraire, trouve ses joies dans le passé.

Rêvant du paysage de son enfance au Québec, la mère de Christine aperçoit avec une une joie inattendue les collines de Pimbina, sur la route d'Altamont. L'effet que celles-ci produisent sur elle est comparable, selon Gérard Bessette[46], à celui de la madeleine de Proust. Une mystérieuse communion unit les collines du passé et celles du présent à cette femme dont l'esprit aventureux semble explorer plutôt le passé que l'avenir ; car la vie revêt maintenant pour elle la forme d'un cycle et non plus d'une route à suivre.

Tout comme elle avait servi de confidente à son père, ainsi que nous l'avons vu dans « Le Jour et la Nuit », Christine devient celle de sa mère. L'interrelation des deux générations, d'abord illustrée dans « Petite Misère », prend une importance toujours plus grande à mesure que Christine devient adulte. Tel un leitmotiv, cette interrelation revient sans cesse dans *Rue Deschambault* et *La Route d'Altamont,* spécialement entre la mère et la fille : « De temps à autre, l'idée de « Ma mère/Moi-même »[47] laisse supposer l'existence d'une servitude non souhaitée, comme c'est le cas dans *Bonheur d'occasion*. Essentiellement, celle-ci est toutefois positive. Ce qui n'a rien d'étonnant, si l'on songe à l'admiration que Gabrielle Roy voue à sa mère.

Les thèmes de l'enfant, image essentielle de la continuité humaine et des mouvements cycliques de la vie, si bien illustrés dans « La Route d'Altamont » et « Ma grand-mère toute-puissante », occupent une place de premier plan dans « Le Vieillard et l'Enfant ». Cette nouvelle rend hommage à l'amitié qui unit la jeunesse et la vieillesse, car fondamentalement : « Peut-être que tout arrive à former un grand cercle... la fin et le commencement avaient leur propre moyen de se retrouver. »[48] Les questions de l'enfant sur l'amour, le commencement et la fin, la jeunesse et le vieillissement, la vie, la mort et l'éternité, touchent souvent ce vieillard plein de sagesse jusqu'au fond de l'âme.

Un dialogue s'engage alors. Semblable aux cercles concentriques qui se forment à la surface de l'eau lorsqu'on y jette une pierre, il fait naître de plus en plus de questions. L'enfant se sait incapable, à cause de leur profondeur, de saisir le sens de ces propos. Puisque la vie et la mort sont ultimement inséparables, nous rappelle Gabrielle Roy, toute célébration d'une croissance individuelle est en même temps une célébration de la mort.

Une excursion au lac Winnipeg constituera l'événement le plus inoubliable de cette amitié. Pour le vieil homme, chez qui ce voyage qu'il a lui-même suggéré de faire est lié à une vision nostalgique du passé, la plus grande satisfaction ne consistera pas tellement à l'effectuer que, malgré sa mort imminente, à voir l'enfant découvrir l'inconnu.

Les émotions intenses que déclenche en Christine cette expérience la troublent profondément. Elle souhaite alors retrouver la douce intimité de sa mère, symbole de son désir de voir renaître son sentiment d'innocence et de sécurité. Elle ne connaîtra peut-être plus jamais complètement celui-ci, toutefois.

L'attrait de l'inconnu, même du fruit défendu, est la cause lointaine de l'anecdote racontée dans « Le Déménagement ». Fascinée par les récits que lui fait sa mère de l'époque des pionniers, Christine se voit elle aussi affligée de « cette maladie de famille, ce mal du départ »[49]. À la place de l'exaltation qu'elle avait ressentie en compagnie de son grand-père devant la grandeur de la nature, Christine, maintenant âgée de onze ans, est involontairement témoin

DE QUOI T'ENNUIES-TU ÉVELINE ?
suivi de ÉLY ! ÉLY ! ÉLY ! *(128 p.)*

Publié pour la première fois en 1982, dans une édition limitée à 200 exemplaires, le récit De quoi t'ennuies-tu Éveline ? *avait été écrit par Gabrielle Roy au début des années soixante.*

Quant à Ély ! Ély ! Ély !, *cette nouvelle écrite en 1978, d'après ses souvenirs d'un voyage fait en 1942, l'auteur l'avait d'abord fait paraître dans la revue* Liberté, *en 1979.*

du malheur des déshérités que Gabrielle Roy a décrits de façon si poignante dans *Bonheur d'occasion.*

Ouvrage publié en 1982, *De quoi t'ennuies-tu, Éveline ?* souligne définitivement l'essentielle unité de l'œuvre de Gabrielle Roy quant au choix des personnages et des thèmes.

C'est l'histoire d'un voyage en autobus, du Manitoba jusqu'en Californie, entrepris par Éveline, à plus de soixante-dix ans, pour répondre à un appel mystérieux de son frère. Bien qu'épuisant, le voyage s'avère une aventure exceptionnelle dans le domaine de l'amitié. À mesure que l'étrange vieille dame partage avec les autres passagers ses souvenirs de Majorique et de sa famille — que les lecteurs de *Rue Deschambault* ont rencontrés dans « Le Titanic » et « Ma tante Thérésina Veilleux » —, sa joie de vivre et ses talents de conteuse tissent des liens de reconnaissance entre eux. En l'écoutant parler de son expérience de la vie, ses auditeurs, puisant à leur tour dans leurs souvenirs, se rendent compte qu'il s'agit également de leur propre vie. La vie de la mère de Christine a ainsi été enrichie : tout en ne connaissant pas très bien la nature de ses désirs, la mère a su accepter les choses de la vie à mesure qu'elles se présentaient. Les illusions ou les imaginations ont compté pour elle plus de fois que la réalité ou la réalisation d'un désir particulier.

Même la mort de son frère avant son arrivée n'arrive pas à vraiment attrister Éveline. La rencontre des enfants et petits-enfants de Majorique et les souvenirs qu'ils évoquent du défunt à la veillée funèbre adoucissent pour elle la douleur de sa mort. Il s'effectue, à la place, une fusion du passé et du présent, qui rappelle « Le Vieillard et l'Enfant ».

CHAPITRE V

LE CREDO D'UN ARTISTE

La Montagne secrète (1961) nous fait connaître le credo d'un artiste qui est, à peu de chose près, celui de Gabrielle Roy. Ce roman ajoute foi à l'idée d'Albert Thibaudet selon laquelle : « Le vrai roman est comme une autobiographie du possible. »[1] Tout comme les éléments autobiographiques contenus dans les nouvelles de *Rue Deschambault* et de *La Route d'Altamont* sont volontairement voilés par l'auteur, « ce résumé de la quête littéraire chez Gabrielle Roy »[2], pour citer Jack Warwick, se fait par le truchement d'un peintre, la romancière s'assurant ainsi une plus grande liberté. *La Montagne secrète* a également été inspirée par un ami de Gabrielle Roy, « peintre, trappeur fervent du Grand Nord, dont les beaux récits me firent connaître le Mackenzie et l'Ungava »[3], à qui le roman est dédicacé. Comme il fallait néanmoins s'y attendre, l'identité de Pierre Cadorai, le personnage principal de *La Montagne secrète,* avec son modèle René Richard, est loin d'être absolue.

Essentiellement, l'auteur transpose, à grands traits, dans *La Montagne secrète,* les débuts de René Richard comme peintre et ses voyages au nord du Canada, où il exerce le métier de trappeur, de 1913 à la fin de 1920, année où il va étudier la peinture en France. Mais si Pierre Cadorai meurt prématurément à Paris, René Richard, lui, revient au Canada où il continue de peindre et de piéger. De 1940 jusqu'à la fin de sa vie (1981) il se consacre entièrement à son art.

L'essai que Gabrielle Roy composa lors de l'exposition de René Richard à Québec, en 1964, et *René Richard,* un livre d'art abondamment illustré dans lequel Hugues de Jouvancourt retrace la vie du peintre dans le Grand Nord de 1910 à 1942, nous permettent d'établir d'intéressantes comparaisons avec *La Montagne secrète.*

Ce roman ne fit pas, au moment de sa parution, l'unanimité de la critique. Certains se disaient déçus de la disparité existant entre le but que s'était fixé Gabrielle Roy et l'exécution de son roman. D'autres, au contraire, louangeaient de nouveau l'auteur, comme en témoignent ces quelques opinions :

Selon J. Murphy :

« *La Montagne secrète* a de nombreux défauts. La narration en est trop faible et l'ouvrage manque de force et d'unité, bien que, il faut

LA MONTAGNE SECRÈTE *(238 p.)*

Ce roman, paru en 1961, est en partie inspiré par la vie du peintre-trappeur, René Richard. Il a été traduit en anglais.

le reconnaître, la répétition dans les trois parties de certaines images contribue à unifier le tout... Le sujet, dans la mesure où il est possible de saisir la vision de l'auteur, rachète toutefois les faiblesses qui s'y trouvent. Gabrielle Roy a tenté de capter le processus de la création artistique... De telles tentatives ne devraient jamais manquer de valeur ou d'intérêt aux yeux du lecteur sérieux qui doit apporter sa propre puissance créatrice à l'image que lui propose l'artiste. »[4]

D'accord sur le fond de cette pensée, David M. Hayne écrit pour sa part : « S'il devait n'être considéré que comme un roman par le lecteur, cet ouvrage ne serait guère impressionnant ; ... en réalité, il ne s'agit pas du tout d'un roman. Ce serait plutôt une sorte d'allégorie sur la quête de l'artiste canadien... Les pérégrinations de Pierre représentent l'archétype du voyage de l'artiste ou de l'écrivain canadien à la recherche de soi et de son art. »[5]

Pour Constance Beresford-Howe, le sujet est trop important pour avoir été traité en un seul roman. Elle conclut néanmoins que les lecteurs « n'ont pas à avoir le regret de considérer *La Montagne secrète* comme une œuvre manquée »[6]. Quant à Hugo McPherson, s'il y déplore « un manque de cohérence et de contrôle »[7], il admet néanmoins que des « moments de grande beauté » font de *La Montagne secrète* un livre « d'une lecture gratifiante ».

François Soumande n'a, en revanche, que des louanges à adresser à Gabrielle Roy, affirmant qu'il n'a « jamais vu de livre si prenant, si pur, si coloré »[8], et qu'à son avis Gabrielle Roy a réussi par son talent ou son art ce que Proust avait fait pour la musique. J.-L. Prévost[9] acclame également *La Montagne secrète* comme étant un ouvrage hautement personnel et d'une très grande qualité, qui réaffirme le talent authentique de l'auteur. Jean Éthier-Blais[10] admire, de son côté, la fluidité du style. Et quant à Raymond Las Vergnas, il admire *La Montagne secrète* parce que Gabrielle Roy « a réussi à transmettre la totalité de sa vision en une suite d'images à la fois merveilleusement précises et d'un lyrisme envoûtant »[11].

La Montagne secrète entraîne son lecteur dans le Grand Nord canadien dont l'exotisme peut présenter un intérêt de plus, surtout pour les non-Canadiens. Mais, en dernier ressort, le décor prend une importance secondaire. S'il est vrai que les succès et les échecs du héros de Gabrielle Roy dépendent du milieu physique qui lui sert d'inspiration, le rôle d'interprète de sa philosophie sous-jacente que lui confie l'auteur surpasse toutes les frontières physiques. Les pérégrinations de Pierre sont également subordonnées à sa symbolique odyssée.

Ce roman raconte une histoire simple peuplée seulement de quelques personnages. Encore une fois, Gabrielle Roy, à travers les compagnons de Pierre Cadorai, nous rappelle l'existence de la « mosaïque canadienne ». Phyllis Grosskurth et Michael Hornyansky ont particulièrement signalé les difficultés suscitées par la quasi-solitude de Pierre. L'un comme l'autre ne considèrent pas le personnage convaincant. « Non seulement Pierre Cadorai n'a-t-il pas de vie familiale ou sociale, mais il n'a pas non plus de personnalité. Il est la quintessence du peintre, *homo pictor,* et ne présente en lui-même aucun intérêt. À peine articulé, il est à peu de chose près, une nullité »[12], l'accuse Michael Hornyansky. Phyllis Grosskurth observe pour sa part : « Le personnage de la femme forte, protectrice, est absent de *La Montagne secrète*. Gabrielle Roy concentre ici toute son attention sur l'homme seul dans un milieu de totale liberté. Ce n'est toutefois qu'en entrant en contact avec ses semblables que le caractère d'un personnage peut se révéler et se développer. Même dans les romans où l'auteur emploie la technique du monologue intérieur, le caractère d'un personnage ne nous est révélé que grâce à ses réactions au monde extérieur, peuplé. Pierre demeure pour nous une énigme du fait de ne pouvoir se mesurer à aucun autre personnage. »[13]

En trois parties, le roman traite, dans la première, de la naissance, chez Pierre, de la vocation artistique ; dans la deuxième, du but qu'il s'est fixé et de la reconnaissance que lui accorde, pour la première fois, le public canadien ; et dans la troisième, de la lutte tragique et de la quasi-victoire de l'artiste à Paris.

Bien que le critique François Ricard définisse *La Montagne secrète* comme « un roman d'apprentissage »[14], il ne suit pas le traditionnel *Bildungsroman,* c'est-à-dire un roman qui croît et évolue. Les éléments familiers que sont la confession et la quête de soi sont habilement atténués par l'introduction d'un deuxième modèle : René Richard. L'auteur toutefois ne généralise pas suffisamment. *La Montagne secrète* illustre ainsi seulement la quête de soi de l'artiste, et non pas, en même temps, celle de l'individu. C'est ainsi que, de façon générale, et à l'opposé, par exemple, du *Portrait of the artist as a young man,* de James Joyce, le lecteur est toujours tenu à distance du héros de Gabrielle Roy du fait que l'aventure artistique de Pierre Cadorai ne reflète pas, tel un miroir, son expérience propre. Pierre Cadorai se donne tout entier à son art, en excluant tout ce qui concerne la condition humaine ; son adolescence, sa famille, ses amitiés et sa religion sont ainsi presque entièrement ignorées. Nous ne critiquons pas, pour autant, l'auteur de *La Montagne secrète.* Il nous incombe seulement de souligner l'approche originale (bien qu'elle ne soit pas unique) de Gabrielle Roy — à la lumière, notamment, des éléments « universels » présents dans *Rue Deschambault* et *La Route d'Altamont,* commentés au chapitre précédent — et d'expliquer les critiques négatives adressées à *La Montagne secrète.*

Dans la première partie, qui nous fait assister à l'éveil de la vocation artistique de Pierre Cadorai, nous apprenons que tout en pêchant, chassant et piégeant dans les Territoires-du-Nord-Ouest, Pierre Cadorai, depuis dix ans, cherche sa voie. Il tente d'établir ses responsabilités envers lui-même et le monde. Au cours de ses déplacements, il voit peu de gens ; mais chaque rencontre lui est précieuse, car elle crée en lui l'impression de donner quelque chose à autrui et de recevoir quelque chose en retour. Ainsi en est-il de ses associations avec le vieux Gédéon (dont on ne connaîtra que le nom de famille), sa fille Nina et Steve Sigurdsen.

Gédéon, « le chercheur d'or »[15], hante les berges du Mackenzie. Il a été abandonné par ses anciens compagnons de route, sa femme est morte et sa fille Nina l'a quitté pour suivre un étranger ; mais rien ne lui fera abandonner son rêve. « Demain, se dit-il irrationnellement, la chance me sourira. » Il accueille chaleureusement Pierre : il offre le gîte et l'amitié. Et le portrait que fait de lui ce dernier, le premier soir de leur rencontre, éclaire en son for intérieur des régions qui lui sont toujours demeurées mystérieuses. Pierre poursuit son périple, poussé par une force inconnue.

Par hasard, il rencontre Nina Gédéon, devenue serveuse dans une auberge. Elle lui parle des Rocheuses qu'elle rêve de voir un jour, ayant admiré leur beauté sur une carte postale. Conscient du fait qu'il n'a pas, lui, trouvé « sa montagne », Pierre envie Nina.

L'image de la montagne offre à Gabrielle Roy un vaste potentiel d'implications réalistes et symboliques. Jung considère ce symbole « la meilleure expression possible de ce qui demeure inconnu »[16]. La première référence que Pierre fait à la montagne vient donc tout à fait à propos. Toujours selon Jung, la montagne signifie une ascension spirituelle et mystique vers les hauteurs où règne l'esprit.

Pierre résiste à la tentation de se lier à Nina, tout en ne sachant pas exactement ce qui le pousse à poursuivre sa route. Entre-temps, le trappeur et chasseur Steve Sigurdsen, qui entraînera plus tard Pierre à sa suite dans les Territoires-du-Nord-Ouest, révèle à celui-ci — l'artiste qui se cherche un but dans la vie — la joie que l'artiste est en mesure d'apporter à ses semblables, en les aidant, grâce à son art, à mieux se connaître et à mieux se comprendre.

En admirant les croquis que fait son ami des objets familiers et des bêtes qui les entourent, Steve réagit instinctivement à l'art. Son acceptation de l'artiste en Pierre ne sera pas toutefois immédiate et ne s'effectuera qu'au prix de nombreux efforts de part et d'autre. Par ailleurs, Steve, qui connaît les aspects les plus éprouvants du Grand Nord canadien ainsi que son potentiel de désastres, en veut à Pierre de ne pas se soucier davantage de sa survie et, par conséquent, de ne pas comprendre réellement ses justes inquiétudes. Pourtant, lorsque ce dernier tombera malade, non seulement veillera-t-il sur ses pièges, mais il lui apportera des crayons de couleur dont il sent qu'il a tant besoin. En revanche, devant les gestes altruistes de Steve, Pierre prend de nouveau conscience des responsabilités de l'artiste. Bien que son ami lui doive la vie, Steve accepte tristement son départ, car il sait que leur amitié doit céder le pas aux exigences de l'art.

La première partie de *La Montagne secrète* se termine donc sur l'acceptation, bien que réticente, par Pierre, de sa vocation d'artiste. Son but, toutefois, demeure toujours imprécis.

Dans la deuxième partie du roman, Pierre découvre enfin son but dans la vie, mais il est toujours seul. Son destin est celui de l'étranger. En prenant de la maturité, il s'attaque aux problèmes de la simplicité et de la perfection. Obéissant à « l'appel à son âme »[17], il doit choisir entre une vie normale où il continuerait néanmoins de peindre, et « sa montagne », qui le forcerait à oublier Nina et l'amour.

La quête de son idéal prend fin lorsque Pierre découvre, dans la nature sauvage du Grand Nord, « une montagne élevée et solitaire » qu'il baptise : « La Solitaire, la Resplendissante »[18]. C'est ainsi que cette merveille de la nature correspond à la valeur symbolique de la montagne attirant l'artiste vers les hauts sommets de l'esprit. Dorénavant, la vie de Pierre sera dominée par « sa montagne », dont il tentera de capter la quintessence. Gabrielle Roy avance que, pour que la montagne existe, l'artiste doit lui donner vie, la révéler aux autres, la leur faire voir.

Son obsession de la montagne est, à la fois, pour Pierre, une bénédiction et un malheur. Conscient des dangers qu'il court à l'approche de l'hiver — d'autant plus qu'il est seul —, il décide néanmoins de demeurer au pied de la montagne afin d'en capter tous les états d'âme. Après avoir été forcé de tuer un vieux caribou pour survivre, il est si épuisé physiquement et émotionnellement, qu'il s'identifie à sa victime. [19] Et, bien que cet état de choses relève en grande partie de sa faiblesse, le souvenir de cet épisode le hantera — ainsi que nous le constaterons — jusqu'à la fin de ses jours. L'on se souviendra d'ailleurs que, dès le début de ses excursions en compagnie de Steve Sigurdsen, il n'avait pas été d'un sentiment égal à l'égard du piégeage. D'une part, il désirait obtenir le plus tôt possible l'argent qui lui permettrait de se consacrer davantage à sa peinture ; de l'autre, il souhaitait voir les animaux déjouer leurs pièges. Et quand, après avoir tué le caribou, Pierre, dans son état d'extrême faiblesse, trouve toutes ses possessions, y compris ses tableaux, saccagées par un ours, il interprète cette catastrophe comme un châtiment. Il se persuade d'avoir trahi la montagne, étant donné qu'il n'a pas réussi à en capter, à sa satisfaction, la majestueuse beauté, la « splendeur exceptionnelle ».

Malgré les « reproches » de la montagne et la certitude que lui seul peut recréer la perfection de sa vision intérieure, ou peut-être précisément à cause de cela, il survivra grâce à « l'ordre » qu'il reçoit de ne pas laisser « mourir » la montagne.

Peu de temps après, des Esquimaux d'un village voisin viennent au secours de Pierre et l'aident à recouvrer la santé. Sur ces entrefaites, un missionnaire organise, à Montréal, la première exposition de son œuvre. L'intervention, en sa faveur, du père Le Bonniec, se traduit par le voyage de Pierre à Paris, où l'artiste canadien autodidacte se perfectionnera au contact des maîtres anciens et contemporains. La deuxième partie du livre se termine alors que Pierre est sûr d'avoir trouvé sa voie comme artiste.

Dans la troisième partie de *La Montagne secrète,* où sont abordés les tribulations et le succès du peintre, le voyage qui l'éloigne du Canada sépare aussi, sur un plan symbolique, Pierre de lui-même. Une crise d'identité s'ensuivra, qui servira néanmoins à lui faire acquérir une maturité artistique encore plus poussée.

Pierre aborde ce monde nouveau avec ambivalence. Accablé par son sens des responsabilités, il se demande comment il arrivera jamais à combler les espérances de tous ceux qui ont rendu possible son voyage. Au début, il se sent absolument déraciné dans ce milieu étranger. Plutôt que d'en retirer une nouvelle stimulation, il est privé de ses souvenirs, source de son inspiration. Toute impulsion créatrice est à prime abord, chez lui, enrayée.

Pierre est émerveillé par les chefs-d'œuvre du Louvre. Le génie de Rembrandt le hisse vers de nouveaux sommets. Mais en même temps, un immense sentiment d'humilité risque d'étouffer son élan créateur.

La rencontre fortuite de Stanislas Lansky lui permet de s'inscrire dans un studio de maître. Reconnaissant d'emblée son talent naturel, et bien qu'il ait tout à apprendre pour ce qui est de la technique, Meyrand, qui sera son professeur, l'accepte comme élève. Pierre profitera peu de la formation reçue, car il aura le sentiment qu'elle entrave sa liberté.

Lorsqu'il reprend son pinceau, il est hanté par le souvenir de la grande nature sauvage canadienne. Tandis qu'il s'efforce de peindre Paris, en suivant les directives de Meyrand, il ne peut s'empêcher d'esquisser « sa montagne ». Ses efforts répétés pour rendre justice à sa montagne, son désir de la reproduire ou de la « recréer » sont tels qu'il en arrive à presque perdre son identité.

Conscient d'être voué à une mort prochaine, à cause de sa condition cardiaque, Pierre se décide, pour la première fois, à faire son autoportrait, afin que lui, au moins, ne soit pas complètement oublié. Il en retire soudain l'étrange impression que jusqu'alors il ne s'était jamais vraiment exprimé dans son œuvre.

Aux derniers jours de sa vie, Pierre est tellement préoccupé par son autoportrait que cela amène certains lecteurs à se poser des questions. Jusqu'ici, Pierre avait en effet refusé de même signer son œuvre, la considérant « insignifiante » et par conséquent indigne d'être associée à son nom.

Son désir de laisser un autoportrait semble toutefois indiquer que Pierre aurait abandonné sa philosophie du renoncement. Ironiquement, il mutile sa dernière œuvre. Ce miroir de lui-même « où... se fût fondue... l'angoisse de tuer et d'être tué »[20] aurait apparemment été relié, dans son esprit, à la mort du caribou ; car les yeux étranges, apparentés à ceux d'une bête, et les mèches en bataille rappelant les bois d'un panache y apportent des distorsions.

S'il est vrai que Pierre avoue sa défaite en détruisant son autoportrait, Gabrielle Roy accorde néanmoins à son héros, au terme de son agonie, une certaine victoire. La montagne lui apparaît dans toute sa majesté. La distinguant parfaitement, il est persuadé qu'il la maîtrise enfin, la transformant et la recréant — bien que simplement en esprit : « Sa montagne en vérité. Repensée, refaite en dimensions, plans et volumes ; à lui entièrement ; sa création propre ; un calcul, un poème de la pensée. »[21] En transformant l'extase de Pierre en une autre forme d'art, le langage, Gabrielle Roy atteint ici une réussite encore plus grande.

Dans *La Montagne secrète* comme dans *Rue Deschambault* et *La Route d'Altamont,* Gabrielle Roy insiste beaucoup sur le concept de la vocation de l'artiste. Celui-ci est forcé d'obéir à un « ordre » ou à un « appel ». Que ce thème, commun aux trois œuvres précitées, soit conforme aux convictions personnelles de l'auteur[22] devient évident lorsqu'elle discute de son œuvre.

La nature exacte et l'objet de cette vocation demeurent souvent vagues. Alors que chez Christine, dans *Rue Deschambault* comme dans *La Route d'Altamont,* le désir d'écrire est en grande partie relié à un choix conscient, Pierre Cadorai « sent », plutôt qu'il ne le sait intuitivement, qu'il sera peintre.

Pierre ne jouira jamais, même pour de brefs instants, de la confiance de la jeune Christine. Obsédé par la brièveté de la vie humaine et l'énormité de la tâche qu'il se propose, il est constamment en proie au doute, tout en étant en même temps exalté et rempli d'humilité par la noble vision qu'il a de son art.

Dans sa recherche d'un but, Pierre est amené à se confronter avec lui-même ou si l'on veut à se « rencontrer »[23], ainsi qu'à « rencontrer » ses semblables, et ultimement, Dieu. En définitive, l'art, à son meilleur, est une rencontre mystique ou religieuse — pour le créateur ou l'artiste comme pour celui qui voit ou écoute son œuvre. *La Montagne secrète* nous en donne l'évidence. En réponse aux questions répétées de Gérard Bessette sur le sens symbolique de la montagne, Gabrielle Roy répondit un jour : « C'est peut-être Dieu. »[24] Pierre Cadorai interprète aussi la pensée de Gabrielle Roy lorsqu'il déclare que la reconnaissance par l'artiste de son talent s'associe à un sens profond d'une triple responsabilité. Bien que l'artiste mérite d'être admiré de son public, il n'en tire pas une entière satisfaction. Sa principale préoccupation consiste à rendre justice à son art et à la vision qui l'inspire, ainsi qu'à Dieu : « Il priait — ne sachant qui au fond — pour que tout en lui fût digne de l'œuvre. » « Oh ! l'étrange tâche en vérité, où c'est pour les autres qu'on œuvre, mais, s'il le faut, en dépit de tous. »[25]

Pierre, l'artiste, considère son devoir envers lui-même et les autres si impérieux que, à l'image de Sisyphe, il en devient l'esclave. Lorsque, après avoir tué le caribou, il est tenté par la mort, la grande libératrice, son engagement à quelque chose qui dépasse sa personne — son art — ranime son désir de vivre. Les plus beaux moments de sa vie s'associent à l'oubli de soi au profit de son art, ou à la transcendance du moi et la transformation, par la création, de vérités en art.

Gabrielle Roy considère, pour que l'artiste puisse être un porte-parole et un interprète auprès de ses semblables, qu'il doit, à l'exemple de Pierre Cadorai, s'engager, dès le départ, dans la voie qui mène à la découverte et à la réalisation de soi. Ainsi, en se rendant service à lui-même, l'artiste rend service aux autres ; et, en se libérant, il libère aussi les autres, leur permettant d'acquérir une plus grande humanité par la révélation de voies de communication en eux-mêmes et avec d'autres.

Pour illustrer cette idée, Gabrielle Roy utilise l'image de l'oiseau, symbole chez Jung[26] de la transcendance : « Il (Pierre) pensait à cette impression qu'il avait maintes fois éprouvée d'avoir en la poitrine un immense oiseau captif — d'être lui-même cet oiseau prisonnier — et, parfois, alors qu'il peignait la lumière ou l'eau courante, ou quelque image de liberté, le captif en lui s'évadait, volait un peu de ses ailes... tout homme avait sans doute en sa poitrine cet oiseau retenu... Mais, lorsque lui-même se libérait..., est-ce que du même coup il ne libérait pas aussi d'autres hommes, leur pensée enchaînée, leur esprit souffrant ? »[27]

Étant donné l'interrelation présente dans les arts, il n'y a rien d'étonnant à ce que Pierre découvre en Shakespeare une âme sœur qui l'aide dans son évolution. Le monologue de Hamlet, « Tell my story », confirme Pierre dans ce qu'il avait ressenti, isolé, en pleine nature sauvage. « Tell my story », c'est peut-être la supplique, souvent muette, que l'artiste perçoit lorsqu'il vient en contact avec ses semblables.

Ici encore, son personnage sert de véhicule aux convictions de l'auteur, telles que formulées, par exemple, dans la préface d'*Un jardin au bout du monde* (1975). Comme Jean-Paul Sartre[28] dans *La Nausée,* Gabrielle Roy est persuadée que l'écrivain a le pouvoir de transformer, en les valorisant, les choses les plus simples.

La réussite sous-jacente de Gabrielle Roy « racontant son histoire » relève de sa philosophie : « Tout homme est rare et inimitable par ce que la vie a fait de lui ou d'elle. »[29] Du fait que l'artiste s'efforce d'interpréter le mystère de la vie, l'art n'est pas uniquement un moyen pour lui d'apprendre à se mieux connaître. Il touche aussi bien le spectateur, le lecteur ou l'auditeur, l'invitant également à la découverte de soi. Steve Sigurdsen reconnaît que les images qui l'ont le plus marqué lui sont venues non de lui-même ou de ce qu'il a pu percevoir, mais lui ont plutôt été transmises par des intermédiaires ayant des dons de description exceptionnels, soit au moyen de la couleur ou de la parole.

Au Louvre, Pierre découvre la magie par laquelle l'artiste communique et transforme son sujet. Dans *L'Homme à la verrue,* la vision de Ghirlandajo transcende la laideur. L'exemple le plus poussé d'une telle transformation par l'art se trouve, chez Gabrielle Roy, dans le portrait d'Alexandre Chenevert.

Le concept de la solitude et de la solidarité constitue un autre des grands thèmes de l'œuvre de Gabrielle Roy. Afin de remplir sa mission, qui est d'arriver à communier et à communiquer avec ses semblables, Pierre, l'artiste, doit s'isoler. Ce paradoxe s'inscrit en parallèle au dilemme de la jeune Christine dans *Rue Deschambault* et *La Route d'Altamont*. Il correspond aussi aux idées personnelles de Gabrielle Roy, exposées dans ses Carnets[30], non encore publiés. De même, après avoir terminé *La Petite Poule d'Eau,* où elle nous fait le portrait de Luzina et du capucin missionnaire — deux personnages exceptionnellement altruistes — l'auteur se dit : « Peut-être... peut-être faut-il être loin des hommes pour vraiment les aimer. »[31]

Selon Gabrielle Roy, l'art, synonyme d'engagement, naît de l'amour et se veut une expression d'amour envers l'humanité. En discutant de son œuvre, elle avouait un jour que, comme Pierre Cadorai et bien d'autres artistes, elle regrettait d'être forcée par les nécessités de la vie à vendre plutôt qu'à donner ses œuvres.

L'art, affirme Gabrielle Roy, autant par son inspiration que par sa destinée, englobe tout. Bien que l'œuvre d'un être, non pas supérieur mais exceptionnel, l'art s'adresse à tous les hommes. Lorsque Steve Sigurdsen voit pour la première fois quelques-uns des croquis de la nature que Pierre a faits, il manifeste un grand enthousiasme. Alors, Pierre se rend compte que sa mission devra consister à donner de la joie et, par conséquent, de l'espoir à autrui. Une telle attitude présuppose un concept idéaliste de l'humanité. Comme l'artiste est un guide pour tous, tout doit mériter son attention.

L'intensité de ses émotions distingue toutefois l'artiste de la plupart de ses semblables. Ce concept est lié à la philosophie de Keats : « Tout art se distingue par son intensité. Celle-ci fait s'évaporer les choses désagréables, du fait de leur intimité avec la Beauté et la Vérité ! »[32]

L'art, dit encore Gabrielle Roy, naît en grande partie, de l'intuition ou de l'inspiration. Ainsi arrive-t-il fréquemment qu'un sujet s'impose à l'artiste. C'est le cas pour Pierre Cadorai : « Il approchait de son but — il l'ignorait encore, mais assuré qu'en le voyant, il le reconnaîtrait. »[33]

Le concept de l'artiste comme visionnaire est également pertinent. Commençant un tableau, Pierre « ne le voyait pas véritablement ; il le connaissait pourtant, à la manière dont se révèlent à quelqu'un qui rêve éveillé des aspects inconnus du monde »[34].

De même, dans *La Rivière sans repos* (1970) quand Jimmy demande à Thaddeus de lui faire son portrait, le vieux sculpteur esquimau avoue à son petit-fils, né d'un père blanc : « Tu as des traits et un nez comme je n'ai jamais appris à en faire. Et je suis vieux pour apprendre du neuf... J'apprendrai ton visage dans un de mes rêves, c'est toujours ainsi que j'apprends le mieux. Je me lèverai, un matin, tout prêt. »[35] Gabrielle Roy a connu, à peu de chose près, ce genre d'expérience.

Gabrielle Roy pense aussi que l'inspiration de l'artiste lui vient beaucoup de ses origines ou de ce qu'il connaît le mieux. Ce processus nécessite souvent un déracinement temporaire. Dans sa préface du catalogue de l'exposition de René Richard (ce dernier ayant servi de modèle à Pierre Cadorai), l'auteur note que, comme beaucoup d'artistes, René Richard avait dû quitter le milieu qui lui était familier pour sonder le réservoir qu'il portait en lui. Nous nous souvenons aussi de ses commentaires relativement à *La Petite Poule d'Eau,* dont l'inspiration vint en France. Et par ailleurs, plutôt que de parler simplement de la découverte de la montagne par Pierre, Gabrielle Roy suggère que la montagne s'est révélée à l'artiste. À son tour, il la révélera à d'autres. La mémoire joue par conséquent un rôle primordial. Nous avons déjà noté l'importance du passé dans l'œuvre de Gabrielle Roy prise dans son entier, mais notamment dans *Rue Deschambault* et *La Route d'Altamont*.

Grâce à des dons de perception exceptionnels, Gabrielle Roy met souvent à contribution plus d'un de ses sens, ce qui lui permet de marier diverses formes d'art, l'écriture, la musique, la peinture et la sculpture se touchant de près. En regard de l'art, Pierre Cadorai trouvait que « créer des liens était sa vie même »[36]. Ses tableaux sont ainsi souvent associés dans son esprit à la musique et aux sons de la nature.

Livré au désespoir, Pierre découvre pourtant que, ainsi que l'a exprimé Picasso : « Tout geste créateur en est un avant tout de destruction. »[37] Incrédule, Pierre avait d'abord été choqué par cette découverte qui le laissait perplexe. Mais peu à peu il devait l'accepter, considérant que l'artiste ne peut saisir sur sa toile que l'instant alors que la beauté d'un objet se trouve fréquemment dans sa multiplicité.

Le concept de l'artiste, à la fois révolté et collaborateur, occupe également une place importante dans *La Montagne secrète*. En ce qui touche sa conscience de l'inéluctabilité de la mort et du rôle de l'art qui exprime la révolte de l'homme contre son ultime destin, Pierre va plus loin que la Christine de *Rue Deschambault*. Il n'est évidemment pas le seul de cette opinion. Par le truchement du père Le Bonniec, Gabrielle Roy nous rappelle, dans *La Montagne secrète,* que Camus considérait l'art comme une protestation. Cette philosophie est d'ailleurs vieille comme le monde.

Paradoxalement, la révolte contre la mort, se transmute à la longue, pour Pierre, en « collaboration secrète avec Dieu ». C'est ainsi qu'Orok, l'Esquimau, prenant connaissance des dessins que Pierre a faits de la montagne, parle avec émerveillement de sa « divinité ». Ayant découvert sa montagne, Pierre se dit : « Ainsi donc, ne nous trahissent pas nos grands rêves mystérieux d'amour et de beauté. Ce n'est pas pour se jouer de nous qu'ils nous appellent de si loin et conservent sur nos âmes leur emprise infinie. »[38]

Rappelons-nous aussi dans « Ma grand-mère toute-puissante » de *Rue Deschambault* comment Christine associe à Dieu sa « Grand-mère toute-puissante » et comment la vieille femme reconnaît avoir œuvré toute sa vie « pour que s'accomplisse la volonté du Seigneur ».

Le principe de la collaboration découle en grande partie de la notion de l'art considéré comme « création » plutôt que « recréation », ou « projection » plutôt que « réflexion ». Pour Gabrielle Roy[39], l'imitation constitue le tout premier pas, le plus primitif, dans le processus de la création. L'œuvre d'art authentique transcende la réalité objective. Ainsi, note Gabrielle Roy, tout comme le portrait qu'a fait d'elle Jean-Paul Lemieux est une projection de lui-même, la montagne de Pierre Cadorai devient « ... sa montagne en toute vérité »[40].

Vu que l'art implique à la fois interprétation, transformation, éducation et quête de la perfection, le choix d'une montagne, « la Solitaire ou la Resplendissante » — comme apothéose de l'idéal de Pierre — est fort judicieux. L'auteur réussit, d'autre part, à « recréer », dans notre esprit, la vision du but à atteindre qui devait, ironiquement être à la source de la défaite de Pierre : « La montagne de son imagination n'avait presque rien de la montagne de l'Ungava... Et sans doute ne s'agissait-il plus de savoir qui avait le mieux réussi sa montagne, Dieu ou Pierre, mais que lui aussi avait fait œuvre de créateur. »[41]

Quand il considère son œuvre à la lumière de ses espérances, l'artiste se voit toujours forcé de se remettre à la tâche. Sa recherche de la perfection se traduit par son aspiration de créer un chef-d'œuvre qui engloberait la vision totale de son créateur. À cet égard, Pierre Cadorai est d'avis que le peintre est moins favorisé que l'écrivain. Ayant trouvé *L'Œuvre complète de Shakespeare* en un volume, il envie les auteurs de pouvoir ainsi offrir l'œuvre d'une vie sous une forme facilement accessible et portative.

Un jour qu'elle discutait de ses propres aspirations avec Donald Cameron, Gabrielle Roy lui confiait : « Je pense que l'écrivain, à l'exemple de Pierre dans *La Montagne secrète,* rêve de réunir tous ses sujets en une seule œuvre brève. Naturellement, il n'y parvient jamais ; c'est pourquoi il y aura toujours des écrivains et des artistes. »[42]

Gabrielle Roy accorde néanmoins à Pierre Cadorai, sur son lit de mort, une quasi-victoire : « Son âme resta encore liée à l'œuvre parfaite enfin entrevue. Il fallait lui donner la vie, ne pas la laisser, elle, mourir. Ce qui meurt d'inexprimé, avec une vie, lui parut la seule mort regrettable. »[43]

CHAPITRE VI

DES MONDES EN CONFLIT

Une brève visite de Gabrielle Roy à Fort-Chimo, dans la baie d'Ungava en 1961 devait plus tard servir d'inspiration à *La Rivière sans repos* (1970). Ce roman est précédé de trois nouvelles dont le ton diffère de l'ensemble de l'œuvre.

Le caractère « canadien » de ce livre est accentué du fait qu'il se passe à Fort-Chimo, en Ungava, et à la Terre de Baffin. Ce pays est dur et rébarbatif, mais il ne manque pas de beauté, surtout aux yeux d'un observateur de l'extérieur tel que Gabrielle Roy.

« Les Satellites », « Le Téléphone » et « Le Fauteuil roulant » rappellent *Bonheur d'occasion*. Tout comme l'indignation la poussa sans doute à écrire son premier roman, l'auteur s'émeut ici de voir le mal qu'ont les Esquimaux à s'adapter au mode de vie des blancs. En fonction des idées qu'elle exprima dans l'essai composé à l'occasion de l'« Exposition/Terre des Hommes » en 1967, il est facile de comprendre l'émotion qui l'étreint. Le thème de cette exposition rendait hommage, on s'en souvient, à la mémoire d'Antoine de Saint-Exupéry, auteur du célèbre roman *Terre des hommes* (1939). Dans son essai du même nom, Gabrielle Roy interprète avant tout le progrès en termes de relations humaines. Sur le plan individuel, grâce à ce concept, elle a un sentiment d'appartenance, celui d'avoir un rôle à jouer dans l'univers. Au niveau collectif, elle réaffirme sa foi dans une fraternité universelle en devenir. Mais encore une fois, en illustrant dans « Les Satellites », « Le Téléphone » et « Le Fauteuil roulant » la confrontation des cultures blanche et esquimaude, elle se préoccupe plus du côté humain que des problèmes sociaux. D'autre part, plutôt que de prétendre être une amère invective, sa critique se dote d'un humour sardonique, aucunement présent dans le roman lui-même *(La Rivière sans repos)*.

La Rivière sans repos a tout de suite valu à son auteur des critiques positives et négatives également significatives. Ces différences d'opinions sont attribuables en grande partie au fait que Gabrielle Roy réaffirme, plutôt qu'elle ne développe, sa vision. Comme nous le verrons plus tard, elle reprend des thèmes familiers — les relations familiales, la critique sociale, la guerre, l'amour et la vie — mais en les abordant de points de vue différents. Alors que Phyllis Grosskurth et S. Swan ont exprimé leur déception, pour P. Sypnovitch et Jean-Éthier Blais, entre autres, l'auteur y atteint une nouvelle dimension.

Phyllis Grosskurth accuse l'auteur de *La Rivière sans repos* d'illustrer encore une fois les mêmes thèmes, de traiter ses sujets de la même façon, de ne pouvoir dépasser ses limites... « Écrire pour elle n'est apparemment plus synonyme de créer, c'est devenu un rite d'autoréanimation. »[1] S. Swan trouve que « Gabrielle Roy a choisi le thème le plus puissant de sa carrière littéraire... » mais « qu'il s'agit néanmoins d'une œuvre ambivalente — une œuvre remplie de compassion et très puissante, mais que les formules d'une technicienne calculatrice affaiblissent pourtant. Dans ce roman, plutôt que dans tout autre, mademoiselle Roy s'est montrée davantage artisane qu'artiste »[2]. Robert Dickson[3] exprime des sentiments semblables, notamment en ce qui concerne le choix d'un narrateur omniscient dont la présence empêche toute étude psychologique approfondie. Mais pour Pierre-Henri Simon, le mérite de Gabrielle Roy se trouve justement dans le fait que « l'excellente romancière canadienne ne se veut précisément que romancière »[4]. P. Sypnovitch, au contraire, se dit ravi d'avoir trouvé dans *La Rivière sans repos,* tout comme dans *Bonheur d'occasion* « des trésors d'observation d'ordre moral »[5]. Nicole Lavigne[6] admire le style poétique de *La Rivière sans repos* et la description qui y est faite de la nature. L'auteur et critique Paule Saint-Onge[7] apprécie particulièrement chez Gabrielle Roy, sa sympathie exceptionnelle qui crée des liens si puissants entre ses personnages et son lecteur. Jean-Éthier Blais[8] adresse aussi des louanges à Gabrielle Roy pour ses personnages si chaleureux et la maîtrise qu'elle met à les animer, tout en les laissant, sans avoir recours à la fausse sympathie ou au mélodrame, poursuivre leur destin jusqu'à sa conclusion logique. Et finalement, Ray Chatelin note que l'on reconnaît dans *La Rivière sans repos* « la simplicité, la perspicacité et la sensibilité qui caractérisent ses œuvres précédentes »[9].

« Le Téléphone », « Les Satellites » et « Le Fauteuil roulant »

Le sort des Esquimaux évoque une tragique régression du progrès. Bien que dépouillés en grande partie de leurs valeurs traditionnelles, ceux-ci n'arrivent pas à comprendre le mode de vie et la morale des blancs qui leur demeurent essentiellement étrangers et déraisonnables, qui les rendent perplexes, les attristent, mais aussi parfois, les font rire.

Bien que des commodités modernes telles que le téléphone existent dans le Grand Nord, l'usage qu'on en fait — ou qu'on ne sait pas en faire — provoque parfois des situations cocasses, comme celles que Gabrielle Roy décrit avec un humour critique dans « Le Téléphone ». Quand Barnaby acquiert un téléphone pour sa tente, il a naturellement hâte de s'en servir. Il se rend cependant vite compte du manque d'habitude qu'ont ses amis et lui du bavardage des blancs.

Pour tromper l'oisiveté, Barnaby, comme beaucoup d'autres Esquimaux, se met à harceler divers blancs au téléphone, simple question de se servir de son nouveau joujou. Quand le curé du village perce son identité, Barnaby a honte de sa mauvaise conduite et se dégoûte lui-même. Le prêtre lui fait comprendre comment on peut devenir esclave du téléphone, attendant toujours un appel ou craignant d'en avoir manqué un au cours d'une absence. Il lui explique aussi que le téléphone n'arrive pas à longtemps tromper l'ennui. Et il le convainc enfin qu'il éprouverait beaucoup plus de satisfaction et de plaisir s'il retournait à son canot.

Barnaby, qui n'a jamais été l'homme des demi-mesures, devient soudain impatient de retrouver celui qu'il a été et son ancienne liberté. Il réunit ses affaires et part rejoindre d'autres « irréductibles », laissant le téléphone sonner sans fin.

Dans « Les Satellites » et « Le Fauteuil roulant », le thème du sens de la vie et de la mort est repris de façon poignante. Autrefois, se rappellent un groupe d'Esquimaux appartenant à plusieurs générations, on considérait la mort comme faisant essentiellement partie du cycle de la nature. Les faibles et les vieillards pouvaient mourir en paix, avec dignité. Certains se laissaient dériver sur une banquise ; d'autres trouvaient la mort ensevelis dans une congère. L'homme blanc interdit maintenant cette pratique d'abandon. Il la trouve cruelle, alors que l'Esquimau, préoccupé avant tout de la qualité de la vie, la considère humanitaire.

Dans « Les Satellites », Gabrielle Roy nous raconte l'histoire de Deborah. Quand celle-ci, une femme de quarante-deux ans, tombe gravement malade, elle se prépare à mourir. Et tous les efforts du pasteur protestant pour lui redonner le goût de vivre s'avèrent inutiles, jusqu'à ce qu'il la persuade que, si elle va dans le Sud, on pourra la guérir.

L'arrivée de l'hydravion qui transportera Deborah à l'hôpital cause beaucoup d'émoi dans son village isolé. Elle-même est ravie lorsqu'elle voit son premier arbre. En nous montrant que ce qui intéresse surtout Deborah à l'hôpital, ce sont les cigarettes et les douches chaudes, Gabrielle Roy critique l'introduction dans la vie de l'Esquimau de deux éléments contradictoires : le savon qui nettoie et le tabac qui jaunit les doigts et embrouille les idées.

Constatant que les blancs souffrent des mêmes maladies que les Esquimaux et meurent comme eux, Deborah se voit privée de l'espoir qui l'a conduite dans le Sud. Elle se laisse aller à la dépression. Et, devant l'évidence qu'elle ne pourra pas guérir malgré son opération, elle retourne chez elle. Les Esquimaux de son village, voyant sa maladie s'aggraver de jour en jour, en arrivent à la conclusion qu'il eût mieux valu la laisser mourir comme autrefois. Leurs pensées se tournent vers leurs morts, partis à la dérive vers la mer sur des banquises ; ils leur apparaissent comme des satellites qui tournent éternellement autour de la terre, de sorte qu'il n'y a pas lieu d'avoir peur de la mort.

La visite du pasteur les rend de nouveau perplexes. Celui-ci, maintenant, n'exhorte plus Deborah à vivre, mais tente plutôt de la persuader que la mort mettra fin à sa misère. Toutefois, la maladie de Deborah se prolonge si longtemps que celle-ci a le sentiment d'être un fardeau non seulement pour elle-même mais aussi pour sa famille. Une nuit, donc, faisant appel à ses dernières forces — ainsi qu'on a pu le constater par ses traces — elle se rend jusqu'à la falaise, d'où elle a dû tomber dans la mer.

Par son thème et ses personnages, « Le Fauteuil roulant » est directement relié aux « Satellites ». Le père de Deborah, Isaac, paralysé par suite d'un accident survenu au cours d'une chasse au phoque, est cette fois le protagoniste. Une chaise roulante, qu'on lui a laissée tomber d'un avion, s'avère à la fois pour lui un bien et un mal. Plus mort que vif, le vieil homme n'arrive pas à se faire comprendre. Les premiers temps, son fauteuil est pour lui comme un trône que les femmes et les enfants font rouler pour s'amuser beaucoup plus que pour distraire le malade, le terrain étant très inégal. Une fois passée la nouveauté, le fauteuil et celui qui l'occupe, Isaac — comme un monarque détrôné —, ne présentent plus aucun intérêt... Une fois, des enfants qui l'avaient poussé jusqu'au rivage l'ont même oublié, le forçant à passer la nuit sous la tempête.

La peur de la bureaucratie des blancs, plutôt qu'une juste compassion, incite sa bru à s'occuper du mourant. La mort de Deborah (racontée dans « Les Satellites ») est évoquée. Celle-ci avait causé une forte perturbation dans le village à cause de l'enquête instituée par l'homme blanc sur sa disparition. Mais, bien que leur façon traditionnelle de mourir ait eu la préférence d'Isaac et de tout le groupe esquimau, elle ne peut pas être remise en honneur. La raison pour laquelle l'agonie du paralysé doit se prolonger demeurera, par ailleurs, inexpliquée.

La Rivière sans repos

La Rivière sans repos est l'histoire d'une mère esquimaude que l'amour pour son enfant, dont le père était un militaire américain, aliène à la fois de sa propre culture et de celle de l'homme blanc. D'une actualité tout à fait contemporaine, cette histoire, par sa tragique simplicité, aurait pu se passer à n'importe quelle époque.

Dans la première des trois parties du livre, nous découvrons les difficultés rencontrées par Elsa Kumachuk, une jeune Esquimaude célibataire, qui veut, dans son village majoritairement autochtone, élever son fils, un sang-mêlé, en enfant blanc.

Dans la deuxième partie, nous assistons à l'échec d'Elsa. Craignant que sa conduite ne pousse son enfant à rejeter la culture esquimaude, Elsa décide d'isoler celui-ci et de l'élever dans les vieilles traditions de la race. Toutefois, lorsque l'enfant tombe malade, la mère affolée se voit contrainte de faire appel aux docteurs blancs.

L'impossibilité dans laquelle se trouve Elsa de s'identifier ou d'identifier son enfant à l'une ou l'autre des deux cultures, comme de réconcilier les diverses valeurs caractéristiques des deux mondes, atteint son point culminant dans la troisième partie du livre. Son fils la quitte pour aller dans le Sud découvrir le monde de son père inconnu. Elsa erre dorénavant dans une vie privée de tout but.

Pour employer la terminologie de E. M. Forster, le recours au réalisme psychologique se manifeste chez Gabrielle Roy par la création de personnages « plats » (ou sans profondeur). Même lorsqu'elle dépeint Elsa Kumachuk, le personnage dominant de *La Rivière sans repos,* la romancière omet d'analyser, du point de vue psychologique, ses motifs et ses actes. Ils deviennent toutefois inoubliables, car Elsa est victime des ambiguïtés et des tensions qui proviennent du conflit qu'elle-même s'impose. L'univers de l'Esquimau, ainsi qu'il nous est décrit dans *La Rivière sans repos,* est gouverné en grande partie par l'instinct et par la sagesse acquise au contact de la nature.

Les contrastes et conflits qu'engendre la disparité entre le monde des Esquimaux et celui des blancs sont soulignés dès les premières pages de *La Rivière sans repos*.

Lorsque Elsa est impulsivement violée à la sortie du cinéma par un soldat de la base américaine, cette expérience inattendue et involontaire ne soulève chez elle aucune indignation, car, dans son esprit, l'incident est lié aux événements qu'elle vient de voir à l'écran. Le fait de donner naissance à un bâtard ne préoccupe, par ailleurs, ni la mère ni sa famille. Les considérations morales applicables aux naissances illégitimes n'existent pas dans sa culture, aussi n'appuie-t-elle pas le pasteur qui voudrait faire identifier le père et le rendre responsable de l'avenir de l'enfant. L'Esquimau a des valeurs manichéennes et une attitude de « laissez-faire » qui reflètent une tranquille acceptation de son sort plutôt qu'un « tranquille désespoir ». Du fait qu'elle s'identifie exclusivement comme la mère d'un enfant exceptionnellement beau, Elsa se voue, ainsi que son enfant, à une existence tragique. Par ironie, cet état de choses provient directement de sa sensibilité et de son désir de donner à

LA RIVIÈRE SANS REPOS *(330 p.)*

Paru pour la première fois en 1970, ce livre est le septième de Gabrielle Roy. Il a été traduit en anglais.

son fils le sentiment d'appartenir à une seule culture. L'intérêt que suscite l'enfant repose avant tout sur les traits de son visage, rappels de son père. L'étrange beauté blonde de l'enfant enchante les villageois, qui considèrent sa naissance aussi extraordinaire que la découverte d'une nouvelle étoile. Par cette beauté même, l'enfant usurpe l'amour de sa mère au point de dominer complètement sa vie. Sa rupture avec la tradition a sur Elsa des effets profondément aliénants. Elle se consacrera dorénavant corps et âme à son enfant, s'efforçant de satisfaire tous ses besoins — besoins artificiellement suscités, qui deviennent sans cesse plus nombreux, voire insatiables. Le révérend Paterson tente vainement de mettre la jeune femme en garde contre les dangers d'un dévouement altruiste mais irréfléchi ; elle est incapable d'expliquer raisonnablement le pourquoi de ses actes. Sa réponse instinctive, débordante d'amour : « Mais parce qu'il est Jimmy », constitue finalement la meilleure justification possible, aux yeux du pasteur. Cette femme ne donne-t-elle pas l'exemple d'un mode de vie que le pasteur incite constamment les Esquimaux à adopter ? « Mais parce que c'est Jimmy... Eh oui ! fit-il ; il n'y aura qu'un Jimmy, comme il n'y a et n'y aura jamais qu'une Elsa. Malgré notre multitude pareille à celle du sable, à l'infini, nous sommes tous, chacun de nous, un être à part ! »[10]

Quand Elsa, en allant travailler chez Élizabeth Beaulieu, prend connaissance du mode de vie des blancs, elle décide de l'adopter pour le bien de Jimmy. Au fond d'elle-même, toutefois, et bien que cette façon de vivre exerce sur elle une certaine attirance, elle lui demeure étrangère. Des conflits intérieurs en résultent.

Elsa donne à Jimmy généreusement, mais sans discernement, tout ce que possèdent les enfants Beaulieu. Le père de ceux-ci, Roch Beaulieu, un policier, a été envoyé temporairement en poste dans le Grand Nord. Sa femme et lui tentent de compenser en faveur de leurs enfants certaines privations auxquelles ils sont maintenant soumis. Mais la jeune mère s'efforce en même temps de faire connaître à son fils les joies et la paix qu'elle a connues dans sa propre enfance. Celles-ci sont incarnées par la rivière Koksoak. Quand elle y amène Jimmy, elle remplit « quelque devoir obscur et merveilleux ». Elle est donc ravie d'y voir apparaître « en Jimmy un autre enfant, plus doux et rêveur », qui s'identifie, dans son esprit, à ses propres parents et à son grand-père Thaddeus.

Avec la meilleure volonté du monde, le pasteur exhorte Elsa à ne pas adopter d'emblée les valeurs superficielles de l'homme blanc, au risque de créer plus tard chez l'enfant un sentiment de honte à l'égard de son héritage esquimau. Toujours guidée par son instinct plutôt que par la réflexion, la mère rejette d'un seul coup le mode de vie venu du Sud. Son inconstance et sa tendance à l'exagération se manifestent maintenant. Elle renie en effet les valeurs des blancs au point de rejeter jusqu'à l'acceptation sélective par sa famille de la culture du Sud. Elle préférera l'igloo ou la tente au confort moderne et ne sera plus d'accord pour envoyer son fils à l'école. Après s'être enfuie au vieux Fort-Chimo, elle se rend compte sans tarder qu'elle n'est plus libre de retourner au mode de vie traditionnel de son peuple. Quand Jimmy tombe malade, elle est forcée de reconnaître sa dépendance envers les blancs et elle rentre dans son village.

La scène dans l'hôpital rappelle *Bonheur d'occasion*. Tout comme Daniel Lacasse est attiré vers Jenny, l'infirmière anglophone, qui pour Rose-Anna représente l'ennemi, puisque l'amour qu'elle porte à son enfant menace de le lui ravir, deux mondes aliénés s'affrontent dans *La Rivière sans repos*. Elsa se sent encore une fois obligée d'aller d'un extrême à l'autre et suit aveuglément le mode de vie moderne. Ironiquement, afin de pouvoir se procurer les commodités de l'homme blanc, Elsa fabrique des poupées esquimaudes pour les touristes.

Or, n'arrivant pas à refouler sa nature profonde, la jeune femme devient de plus en plus angoissée. Par tradition, son peuple ne se préoccupait ni du passé ni de l'avenir. Mais pour Elsa, comme pour la Florentine de *Bonheur d'occasion*, le temps devient un ennemi : « Si elle jetait alors un coup d'œil devant elle sur l'avenir toujours aussi brumeux, il lui paraissait néanmoins devoir l'éloigner de plus en plus de sa vraie nature, l'entraîner loin d'elle-même. Elle ne voyait vraiment pas vers quoi elle allait... Elle se voyait donc condamnée à avancer à travers l'inconnu. »[11] Avec le passage des années, Elsa devient de plus en plus amère. L'enfant qui avait toujours été le centre de son univers se met à avoir honte de cette mère à la peau brune — qu'il considère d'ailleurs comme une étrangère —, de son héritage esquimau. Il ne rêve que de retrouver son père.

La disparition de Jimmy plonge Elsa au plus profond de sa tragédie émotionnelle. Incapable de s'élever au-dessus de son sort comme de se rebeller contre son destin, elle se retire en elle-même, devient totalement apathique et n'a plus aucun but dans la vie. Assez étrangement, elle éprouve, dans son malheur, une certaine satisfaction. Libérée peu à peu de la culture de l'homme blanc, la prétendue sécurité, associée à un emploi fixe et à un salaire qui en découle, lui deviendra indifférente. Elle ne travaille que ce qu'il faut pour se procurer le strict nécessaire, impatiente d'atteindre le moment où elle pourra enfin ne rien faire d'autre que s'asseoir au bord de la rivière et y laisser voguer ses rêves de liberté.

Son retour à la nature permet aussi à Elsa de se réconcilier avec elle-même. En même temps, son amour pour Jimmy est si intense qu'elle se persuade que, un jour, il lui reviendra.

La dernière image d'Elsa, sur la berge de la Koksoak, souligne habilement sa solitude et sa fragilité : « Puis elle se penchait pour ramasser des riens... ces filaments de plante, fins, blonds et soyeux comme des cheveux d'enfant, qui sont faits pour porter au loin des graines voyageuses. Elle les détachait brin à brin et soufflait dessus, son visage abîmé, tout souriant de les voir monter et se répandre dans le soir. »[12] P. Sypnovitch adresse à Gabrielle Roy des louanges justifiées : « Dans la dernière scène du livre, la scène-titre, le lecteur est soumis à une catharsis d'une remarquable puissance. N'était sa note de vérité, cette scène aurait pu sombrer dans la sentimentalité. À cause d'elle, ce roman peut venir en aide à tous ceux qui ont besoin de forces nouvelles pour poursuivre leur route. »[13]

Le conflit que vit Elsa entre deux mondes étrangers, elle se l'impose en grande partie. Jimmy, par contre, étant de sang-mêlé, ne peut choisir entre les deux mondes, car il n'appartient en réalité ni à l'un, ni à l'autre.

Dès sa naissance, les traits étranges de Jimmy attirent sur lui l'attention des villageois. Subjugués par son charme, ils lui passent tous ses caprices. En agissant ainsi, ils sèment, à leur insu, la graine de son avenir tragique. Sa position privilégiée mène bientôt à une tyrannie involontaire, qui réduit sa mère en esclavage et, finalement, entraîne son propre malheur, car il en arrivera à se sentir supérieur aux Esquimaux.

Pourtant étant enfant, Jimmy, au grand ravissement de sa mère, s'était montré extraordinairement sensible à la nature. Et, une fois que l'enfant a rempli ses espérances, Elsa va rejoindre son oncle Ian au vieux Fort-Chimo. Celui-ci lui communique de bon cœur la compréhension et la connaissance du terrain accidenté qu'il a acquises au cours des années. Mais l'enfant perturbé est incapable d'oublier la différence qui le distingue des autres. Thaddeus, par exemple, soutient qu'il est incapable de sculpter les traits peu familiers de son petit-fils. Aux questions qu'il pose en regard de son identité, l'enfant ne peut longtemps se satisfaire de la réponse sibylline du vieux sage selon lequel il est venu parmi les Esquimaux pour leur « joie » et leur « perpétuel étonnement ».

En grandissant, Jimmy a de plus en plus honte de sa mère et de son héritage esquimau, jusqu'à ce que, devenu adolescent, il en vienne à considérer comme une étrangère celle qui pourtant ne vit que pour lui. Par amour pour son fils, Elsa embellit sa rencontre avec le soldat inconnu. Sans s'en douter, elle le pousse ainsi à vouloir aller retrouver, quelque part au Mississipi, ce père inconnu.

Lors de sa première tentative d'évasion, Jimmy, étant mineur, est vite ramené à sa mère. Elsa pressent néanmoins qu'elle a perdu son fils à jamais. Pourtant lorsqu'il disparaît de nouveau, à l'âge de seize ans, apparemment pour de bon, elle éprouve un sentiment d'orgueil. C'est que, d'une part, elle admire les Américains et sait que, pour son fils, les États-Unis représentent le paradis ; et que, d'autre part, elle se persuade qu'il reviendra un jour lui faire partager ses découvertes, comme il le faisait toujours étant enfant. Elsa voit dans la Koksoak — dont l'importance pour le récit est accentuée dans le titre — un symbole naturel, quoique ambivalent, de la nature. Dès l'enfance, elle associait déjà les sons rythmés de son cours à la paix et au bonheur — sentiment qu'éprouve également le policier Roch Beaulieu lorsqu'il s'y trouve. Elle y amène donc Jimmy, afin de lui faire partager ses joies. La Koksoak représente aussi la division réaliste et symbolique qui existe entre les deux mondes d'Elsa. Ayant rejeté le mode de vie des blancs, elle retrouve dans l'eau courante de la rivière une sensation de liberté. Et tout comme la rivière coule vers un but invisible, derrière les montagnes, Elsa pense que sa vie se dirige inexorablement vers un but ultime. À l'exemple de la tante Martine de *Cet été qui chantait,* Elsa se réfugie sur les berges de la Koksoak pour tenter de voir clair en elle-même, de se réconcilier avec son sort et de réfléchir sur le sens de la vie. Les sentiments personnels de l'auteur sont ici de nouveau reflétés, car, ainsi qu'elle le note dans *Cet été qui chantait :* « Le fleuve et la vie, tous deux en mouvement, nous semblaient proches l'un et l'autre, encore que le fleuve dans son mouvement nous soit repos, alors que la vie souvent nous donne du mal à tâcher à la suivre. »[14]

Ajoutée à la douleur qui prédomine dans *La Rivière sans repos,* Gabrielle Roy illustre aussi la puissance de l'amour. Ainsi que l'avait pressenti le pasteur protestant en contemplant Elsa et son enfant, l'amour humain « est par excellence, le chemin mystérieux par lequel on est conduit à sa propre découverte. Tel qui commence dans une pauvre terre peut donner une fleur rare »[15]. La dernière image d'Elsa, dont la vie tout entière incarne cette vérité, donne encore plus d'intensité à l'image de l'amour.

Le symbole de la Koksoak confère aussi à l'homme le sentiment que la vie est hors du temps — tout au moins sur le plan collectif. C'est ainsi que toute préoccupation ayant trait au temps demeure essentiellement étrangère à Elsa et à son peuple, obligés de vivre au jour le jour dans leur climat rigoureux. Les projets d'avenir sont particulièrement caractéristiques de cette nouvelle culture que l'Esquimau se voit imposer ; et, comme elle ne s'en soucie que pour l'amour de Jimmy, elle cesse facilement d'y penser.

Dans *La Rivière sans repos,* Gabrielle Roy considère le progrès, ou le mode de vie de l'homme blanc, avec scepticisme. Le fait de voir madame Beaulieu malheureuse et déprimée, malgré tout ce que le « progrès » lui offre, ou peut-être à cause de cela, est avant tout ce qui décide Elsa à abandonner le mode de vie des blancs. Gabrielle Roy ne condamne cependant dans le « progrès » que son aspect déshumanisant. Contrairement à Elsa, les autres Esquimaux n'acceptent que certaines valeurs étrangères, en les intégrant d'ailleurs à leur culture. La clef de leur survivance réside dans la répugnance qu'ils éprouvent à l'idée de changer certains de leurs concepts, de leurs liens traditionnels. C'est ainsi que, tout en « adorant » le petit Jimmy, ils n'ont aucunement envie d'imiter Elsa dans leurs relations avec leurs propres enfants. Ainsi est l'oncle d'Elsa, Ian. Parce qu'il trouve que les villageois ont renié un trop grand nombre de leurs traditions, il est allé vivre dans l'isolement, chérit la bible et les autres livres laissés par un pasteur blanc — bien que ceux-ci représentent un fardeau dans sa vie de nomade. Quant au vieux Thaddeus, qu'Elsa considère un modèle dans le respect des traditions, il se confie un jour à la jeune femme perturbée : il est parfois envieux du faucon niché au sommet de la falaise. Mais il ne pourra jamais aller le rejoindre, car pour lui, le vent et la liberté ne sauraient remplacer l'affection de sa famille. Il préfère donc « vivre en cage », mais avec d'autres. Nous l'avons déjà noté : Gabrielle Roy établit souvent une correspondance entre le caractère de ses personnages et le milieu dans lequel ceux-ci évoluent. Dans le cas des Beaulieu, cependant, et de leurs réactions contradictoires face aux paysages du Grand Nord, elle développe son sujet selon une perspective plus ample, plus réaliste. Alors qu'Élizabeth Beaulieu devient de plus en plus déprimée au milieu de ce paysage désolé et peu familier,

Roch Beaulieu — tout comme le capucin de *La Petite Poule d'Eau* — se sent beaucoup plus libre et heureux dans cette nature sauvage. Son aridité même l'attire, car elle représente pour lui une franchise et une authenticité qui, selon lui, n'existent plus chez des gens forcés, par des rivalités secrètes, à masquer leurs sentiments. Persuadé que ni lui ni sa femme ne peuvent être blâmés pour leurs sentiments, le policier a l'intention de se faire transférer de nouveau dans le Sud. De par sa position privilégiée au sein du groupe autochtone, les critiques qu'il adresse à la culture de l'homme blanc, donc la sienne, sont particulièrement efficaces. On comprend sa répugnance à l'idée de faire respecter la loi de l'école obligatoire — d'autant plus que le programme du Sud est totalement étranger au mode de vie du Grand Nord.

C'est par le truchement des missionnaires catholique et protestant que Gabrielle Roy nous fait connaître certaines de ses opinions sur la chrétienté et la civilisation occidentale. D'une part, l'Église favorise la séparation des Esquimaux et des blancs en montrant les mêmes films à des auditoires différents ; et d'autre part, les Esquimaux se voient entraînés dans les conflits de l'homme blanc, incités à participer au mouvement œcuménique alors qu'ils ne comprennent goutte aux différences sectaires. Au moyen de questions en apparence naïves, enfantines, l'auteur fait la critique des philosophies chrétiennes.

Tout comme dans *Bonheur d'occasion,* la guerre comporte ici des aspects positifs, mais pour des raisons humanitaires plutôt qu'économiques. Alors qu'Elsa se demande de quel côté elle devrait se ranger, les Esquimaux sont si loin du champ de bataille, physiquement et philosophiquement, qu'ils voient la guerre comme un moyen d'unir les peuples — puisque les soldats laissent toujours des enfants là où ils passent. « Grâce à la Guerre et au mélange du sang, se formera peut-être donc, à la fin la race humaine... une seule famille, toutes les nations réunies. »[16] Gabrielle Roy[17] transfère encore une fois sa voix à l'un de ses personnages, car elle croit personnellement que tout progrès entraîne implicitement un sens accru de la fraternité. Puisqu'elle a mis au monde un enfant de père blanc, Elsa imagine Jimmy au Viêt-nam lui donnant un petit-enfant vietnamien. On peut s'étonner qu'elle ne voie dans cette possibilité qu'un aspect positif, alors que Jimmy et elle, pour leur plus grand malheur, vivent dans une sorte de *no man's land.*

L'idée que les hommes mettront ultimement fin aux conflits mondiaux grâce à la fraternité et la note confiante sur laquelle se termine *La Rivière sans repos* se retrouvent avec encore plus de force dans *Un jardin au bout du monde* et *Ces enfants de ma vie.* Dans ces deux livres, en effet, les protagonistes sont représentatifs de la « mosaïque canadienne ».

CHAPITRE VII

LA MOSAÏQUE CANADIENNE

Un jardin au bout du monde (1975) et *Ces enfants de ma vie* (1977), encore une fois, prennent tous deux racine chez l'auteur dans son expérience de la prairie. Ces deux recueils de nouvelles, dont les personnages sont issus de diverses nationalités, illustrent combien Gabrielle Roy a conscience de la « mosaïque canadienne ». Son œuvre en témoigne d'ailleurs, beaucoup plus que celle d'aucun autre écrivain canadien. Toutefois, alors que, dans *La Petite Poule d'Eau,* les diverses nationalités sont très unies, les protagonistes d'*Un jardin au bout du monde* — Canadiens français, Doukhobors russes, Ukrainiens, Italiens, Chinois — vivent tous séparément les uns des autres. Dans l'esprit de l'auteur, les « déracinés » semblent inséparables de la vie. En fait, comme le souligne Richard Chadbourne, « ce déracinement, cet exil sont aux yeux de Gabrielle Roy, à l'image de la condition humaine »[1]. « Sous l'écriture soignée, note d'autre part Carol Shields, le lecteur discerne une acceptation et une perception sympathiques de ce qu'est la vie du côté non cultivé de la frontière sociale. »[2] « Raconter ma vie »[3] représente toutefois l'appel persistant auquel Gabrielle Roy s'est crue obligée de répondre. Il incombe ensuite au lecteur d'être ou non d'accord avec la conclusion à laquelle, puisant dans ses souvenirs d'enfance, en est venue la romancière. Parler d'étrangers ne signifie rien, car le terme peut s'appliquer à tous comme à chacun. En définitive, ce qui sépare les hommes est bien moins important que ce qui les unit.

Un jardin au bout du monde

« Écrit dans une prose admirable »[4] selon Paul Socken, et considéré par Gabrielle Poulin comme « l'un des meilleurs livres publiés au Québec en 1975 »[5], *Un jardin au bout du monde* réunit quatre nouvelles. Deux d'entre elles : « Un vagabond frappe à notre porte » et « La Vallée Houdou », avaient déjà paru, dans une version un peu différente, dans la revue *Amérique française*. « Un vagabond frappe à notre porte » rappelle « Les Déserteurs » de *Rue Deschambault,* par l'attachement au Québec qu'y manifestent les Canadiens français et leur façon d'idéaliser la patrie de leurs ancêtres. La mère de Christine trompe son mal du pays en se rendant en visite au Québec pour retrouver ses « racines ». Dans « Un vagabond frappe à notre porte », par contre, un fin renard du nom de cousin Gustave, conscient du besoin qu'ont les gens isolés d'avoir des nouvelles de leur « parenté » dont ils sont coupés depuis nombre d'années, réussit à s'introduire dans la famille de la narratrice. Il y séjournera durant plusieurs semaines. L'auteur recrée avec humour cet incident de son enfance, évoquant les réactions de chaque membre de la famille à la présence de l'intrus.

Le père accueille d'emblée le vagabond, mais la mère, incapable d'établir un lien entre ce que raconte ce « cousin Gustave » et ce que son mari lui a dit de sa famille, demeure sur ses gardes quant à l'identité du visiteur. Le « cousin » parviendra toutefois à vaincre sa méfiance lorsque, s'étant rendu compte de sa piété, il lui affirmera avoir vu personnellement le révérend frère André, à Montréal.

Le dialogue occupe une place importante dans le déroulement du récit. Il permet en effet à l'auteur de souligner que ces braves gens sont victimes, non pas tellement des « menteries » du cousin Gustave que de leur propre crédulité et de leur imagination. Voyons comment ils fournissent eux-mêmes les renseignements essentiels :

— Mais la Marcelline... parlait-elle de moi de temps en temps ?

L'homme assura chaudement :

— Ah, pour sûr ! Elle m'a souvent parlé de son frère...

— Arthur, précisa mon père.

— C'est bien ça : Arthur ![6]

Quand le cousin Gustave sentira que ses commérages n'exercent plus sur ses hôtes la même fascination, il prendra la poudre d'escampette sans même tirer sa révérence. En dehors de rares cartes postales donnant des nouvelles d'autres parents auxquels le cousin avait promis de rendre visite au cours de ses pérégrinations, ils n'entendront plus parler de lui, jusqu'à ce que, des années plus tard, il réapparaisse, malade.

À l'étonnement général, le « cousin », dans son délire, se trahit :

— Je suis Barthélémy, dit-il, le garçon de votre frère Alcide. Je viens de Saint-Jérôme ; c'est de Saint-Jérôme que je viens.

Puis il soupira :

— Voyons ! vous me reconnaissez pas ; je suis Honoré, l'Honoré au père Phidime qu'on avait cru mort.[7]

Quand le père se rend chez leur lointain voisin pour appeler le médecin, il est outragé d'apprendre que la police a ouvert une enquête sur « l'imposteur » qui se fait passer pour le parent des familles chez qui il élit domicile au cours de ses déplacements.

Dans « Où iras-tu Sam Lee Wong ? », Gabrielle Roy nous fait le récit imaginé de la triste existence que mène, dans son restaurant d'Horizon, en Saskatchewan, un immigré chinois.

Gabrielle Roy

Un jardin au bout du monde

Beauchemin

UN JARDIN AU BOUT DU MONDE
(224 p.)

Ce roman a été publié pour la première fois en 1975. Il a été traduit en anglais.

Par suite d'un malentendu attribuable à son isolement linguistique et culturel, Sam Lee Wong se voit forcé, quand il ferme son restaurant, de quitter le village qu'il habite depuis vingt-cinq ans. Comme il a été incapable d'expliquer à un ami qu'il avait l'intention d'ouvrir maintenant une buanderie à Horizon, on lui organise une fête à l'occasion de sa retraite présumée et de son prétendu retour en Chine. Déconcerté, Sam Lee Wong jouit peu de cette fête qui le rendra victime d'une étrange coutume de son village : si quelqu'un est honoré par un tel témoignage d'affection, une loi tacite dicte son départ.

Alors, Sam Lee Wong se réfugie au hasard, à Sweet Clover, un autre village de la Saskatchewan, parce que les collines lui rappellent encore une fois celles de sa terre natale. L'auteur ne manque pas d'ironie en décrivant la vie quotidienne et les coutumes de ces villages, aux noms évocateurs, soulignant surtout les stéréotypes.

« La Vallée Houdou », un court récit, raconte comment, à la grande consternation de leurs guides canadiens, un groupe de Doukhobors choisit pour s'y établir le pire des emplacements. Cette nouvelle peut être rattachée à celle du « Puits de Dunrae » de *Rue Deschambault,* écrite plus tard, et qui clarifie encore davantage certaines caractéristiques psychologiques et religieuses de cette secte.

La nouvelle-titre : « Un jardin au bout du monde », dans laquelle Gabrielle Roy médite sur la vie de Marta Yaramko, doit son inspiration à un petit jardin que l'auteur se rappelle avoir entrevu au milieu de la prairie. Comme pour « La Vallée Houdou », ce récit illustre de façon dramatique comment la confrontation avec ce nouveau pays constitue aussi une confrontation avec soi-même.

Les thèmes dominants d'*Un jardin au bout du monde*

Gabrielle Roy non seulement admire l'art du conteur chez les autres, elle y excelle, ainsi qu'en témoignent cette collection de nouvelles et celles qui l'ont précédée. En plus d'être d'une lecture agréable, *Un jardin au bout du monde,* que Robert Tremblay caractérise de « profond, pathétique, et par certains côtés prophétique »[8], sert à réintroduire nombre de thèmes tels que le rêve et la réalité, la solitude et la communication, le sens de la vie.

Comme dans la vie des personnages de *Bonheur d'occasion,* le rêve, dans son interprétation la plus large, joue ici un rôle primordial. Pour l'artiste, cela signifie parfois que le monde qu'il crée est plus réel, plus vrai que la réalité elle-même. Ainsi la narratrice, à la première personne, raconte l'histoire de Marta Yaramko, en méditant sur le métier de l'écrivain. Elle se rappelle que, plus tôt dans sa carrière, elle s'était demandé, avec un certain découragement : « Pourquoi inventer une autre histoire, et serait-elle plus proche de la réalité que ne le sont en eux-mêmes les faits ?... Ce fut un rêve, pas autre chose ! »[9]

De même, dans sa préface à *Un jardin au bout du monde,* Gabrielle Roy note en se référant à Sam Lee Wong : « Il n'y avait peut-être que moi à avoir imaginé son existence et par conséquent à pouvoir lui donner vie. »[10]

C'est par fidélité au passé que les Doukhobors recherchent un emplacement d'un type particulier. Leur choix ultime de la vallée Houdou, avec « ses montagnes au loin, une rivière dans l'herbe », est basé sur « un mirage et une tromperie ». Les colons essaient d'expliquer à leurs guides perplexes la raison de leur exaltation. C'est que, bien que les montagnes soient illusoires, seule importe la foi des Doukhobors. On pense ici à la remarque d'Alexandre Chenevert : le seul fait de savoir qu'un paradis tel que le lac Vert existe comble son désir de le connaître. De même, dans *La Montagne secrète,* Pierre Cadorai, toujours en quête de son but, envie à Nina Gédéon sa conviction de pouvoir contempler un jour ses montagnes.

Dans « Un vagabond frappe à notre porte », le père réagit violemment en apprenant que le « cousin Gustave » lui a menti au sujet de sa parenté. En revanche, la mère attache en fin de compte une plus grande importance au fait de croire en quelque chose, que ce soit vrai ou faux, qu'à la vérité elle-même. C'est ainsi qu'elle fera preuve de générosité envers le malade et que, en lui disant adieu quand il repart, une fois guéri, elle l'appellera, pour la première fois, « cousin Gustave ».

Dans « Le Vieillard et l'Enfant », de *La Route d'Altamont,* monsieur Saint-Hilaire conjecture que la vie forme un cercle : le début et la fin se rejoignent dans une identité fondamentale. C'est pour cette même raison que des gens comme les Doukhobors, Sam Lee Wong et les Yaramko attachent en bâtissant l'avenir autant d'importance à leur passé.

L'emplacement géographique de ces nouvelles accentue l'isolement de ces plaines peu peuplées, balayées par le vent. C'est grâce aux énormes distances parcourues, aux rigueurs endurées pendant ses voyages et à l'attrait de l'inconnu que le « cousin Gustave » arrive à tromper ses nombreux hôtes sur son identité. Sam Lee Wong, qui est, d'autre part, forcé de venir s'établir seul au Canada à cause des lois sur l'immigration qui y sont en vigueur, tente d'économiser le plus possible afin que son cercueil soit envoyé en Chine, la mort seule pouvant le réunir à ses ancêtres. Mais la solitude revêt parfois, chez les humains, un aspect plus tragique. L'exemple de Marta et Stepan Yaramko est particulièrement poignant. Même s'ils vivent ensemble, ils ont rompu toute communication depuis si longtemps que ni l'un ni l'autre n'oseraient abattre le mur qu'ils ont dressé entre eux. Stepan ne témoignera de la compassion qu'il ressent envers sa femme malade qu'en soignant ses fleurs dont il a toujours haï la présence, ce jardin ayant été essentiellement pour lui le symbole de leur solitude. Celle-ci peut aussi être accentuée chez l'homme par le sentiment d'être privé de Dieu. Quand, par exemple, les Doukhobors cherchent où s'établir, le silence apparent du Seigneur constitue, dans cette terre nouvelle et apparemment hostile, leur plus grande crainte.

« Un immense manège où personne ne comprenait jamais personne. » C'est ainsi qu'est décrite à l'immigrant chinois la perception du monde que se fait l'une de ses connaissances, dans « Où iras-tu Sam Lee Wong ? »[11] Quel est le sens profond de la vie et qui sommes-nous réellement ? Autant de questions que se posent explicitement des personnages tels que Marta Yaramko, ou que l'on se pose implicitement pour eux. Gabrielle Roy choisit toujours des symboles rattachés au milieu qu'elle décrit. Ainsi, en ce qui regarde Sam Lee Wong, toute sa vie n'a été à ses yeux « qu'une longue sécheresse », interrompue seulement par de rares contacts avec ses semblables. La barrière de la langue ne représente qu'un des aspects de cet isolement. Chez Marta Yaramko, le vague sentiment d'une mort prochaine fera peut-être naître, ou en tout cas précipiterait en elle, le besoin de réfléchir sur sa vie. La connaissance rudimentaire qu'ont les Yaramko de la langue anglaise rend encore plus difficile pour eux la possibilité d'exprimer leur pensée profonde, même à leurs enfants. Pour Stepan Yaramko, la vie est « un long jour, aride et venteux ». Il ne peut donc comprendre l'amour de la vie qui anime sa femme. Sans doute ces deux natures opposées ont-elles été attirées l'une vers l'autre dans leur jeunesse. En conséquence, Marta reconnaît tristement qu'elle n'avait vraiment été elle-même que dans sa jeunesse. Aujourd'hui, motivée par l'amour, le désir de se montrer responsable et le besoin de rendre compte de sa vie à Dieu, Marta compare le sens de sa vie à son jardin en fleurs. Elle offrira d'ailleurs les fruits de son labeur aux icônes suspendues dans la petite chapelle déserte.

Ces enfants de ma vie

Comme Gabrielle Roy l'avait déjà fait pour *Rue Deschambault* et *La Route d'Altamont,* elle allie l'autobiographie à la fiction dans ce recueil de nouvelles. Divisé en trois parties, celui-ci est unifié par la narratrice parlant à la première personne. Ainsi que l'a souligné Louis Dudek, l'emploi de ce procédé « suggère que l'auteur est particulièrement *engagé,* et que celui-ci s'implique personnellement et directement dans le sens qu'il veut donner à son œuvre »[12]. Cette implication a valu à Gabrielle Roy de nouveaux hommages. Yves Thériault, par exemple, l'un des écrivains les plus prolifiques du Québec, membre comme elle de la Société royale du Canada, admirait par-dessus tout, « la beauté discrète de son style »[13]. Il aurait souhaité aussi « pouvoir écrire comme Gabrielle Roy, ainsi qu'aimer et comprendre, autant qu'elle, ses personnages ». Gilles Marcotte[14] admire également *Ces enfants de ma vie* pour son caractère passionné, troublant, personnel. Parce que cette collection de nouvelles s'est enrichie de l'expérience d'une vie, Gilles Marcotte et Thuong Vuong Riddick[15] la trouvent de beaucoup supérieure à *Bonheur d'occasion,* malgré les mérites considérables de cette première œuvre. Gabrielle Poulin[16] et William French[17] partagent cette opinion. La narratrice, une institutrice comme celle de *La Petite Poule d'Eau,* évoque certaines des premières expériences de sa carrière et fait des croquis d'élèves de différents groupes ethniques. Le milieu où grandissent ces enfants est généralement aussi pauvre que celui de *Bonheur d'occasion.* Mais la base émotionnelle de *Ces enfants de ma vie* est, selon Jacques Godbout[18], empreinte de « douceur », de « sensibilité » et de « générosité », semblable aux sentiments qui inspirèrent *Cet été qui chantait* notamment plutôt qu'à l'esprit de révolte qui devait servir de si puissant catalyseur à la création de *Bonheur d'occasion.*

Dans la première partie de *Ces enfants de ma vie,* la narratrice nous présente avec « Vincento », un petit Italien dont les émotions passent radicalement de la haine à l'amour durant sa première journée à l'école. Dans « L'Enfant de Noël », l'institutrice se rappelle le petit Clair et son désespoir lorsqu'il se trouve dans l'impossibilité de lui offrir un cadeau de Noël, comme ses camarades. Les choses s'arrangeront toutefois quand le petit, faisant preuve d'un grand

CES ENFANTS DE MA VIE *(240 p.)*

D'inspiration autobiographique, cet ouvrage, le onzième de Gabrielle Roy, a été acclamé par la critique dès sa première parution en 1977. Traduit peu de temps après, il a été publié au Canada anglais et aux États-Unis. Il s'est mérité le Prix du gouverneur général.

courage, bravera la tempête pour se rendre chez sa maîtresse, porteur d'un mouchoir de toile « pas tout à fait neuf » appartenant à sa mère.

« L'Alouette » a pour héros un garçon du nom de Nil, que son extraordinaire talent musical nous rend inoubliable. La visite de la « petite alouette ukrainienne » à un foyer de vieillards rappelle celle de Christine à Alicia, une malade mentale, dans *Rue Deschambault*. Lorsque Nil se rend compte de la puissance mystérieuse de sa voix, il est ému et effrayé de voir le « terrible bonheur » qu'il a soudain introduit dans la vie de ces gens.

C'est sur un portrait de « Demetrioff » que se termine la première partie. Les Demetrioff, nous apprend la narratrice, semblaient toujours se faire remarquer par leur ignorance et leur incapacité d'apprendre ; la brutalité du père terrorise, par ailleurs, non seulement ses enfants, mais aussi leurs institutrices. « ... ce passionné besoin (de l'auteur)... de lutter pour obtenir le meilleur en chacun »[19] entraîne, encore une fois, d'heureux résultats. L'exceptionnel talent de copiste du plus jeune Demetrioff — qui ne comprend pas du tout la signification des lettres qui lui servent de modèle — enchante le père analphabète lorsque, à l'occasion de la journée des parents, il visite l'école.

« La Maison gardée » constitue la deuxième partie du livre. Nous y faisons la connaissance d'André Pasquier, un garçon dont la compassion et la compréhension portent encore une fois la marque de Gabrielle Roy. À cause de la maladie de sa mère et de l'éloignement de l'école, l'enfant doit, contre son gré, arrêter de s'instruire et endosser des responsabilités d'adulte.

« De la truite dans l'eau glacée ». Cette nouvelle constitue la troisième et dernière partie. Ici, ce sont les thèmes de la solitude, de la liberté et de l'amour qui s'entrelacent. L'auteur y trace le portrait de Médéric Eymard. Toute la chaleur qui a fait auprès du public la popularité de l'œuvre de Gabrielle Roy atteint à ce point son apogée.

L'histoire de Médéric illustre admirablement l'hypothèse faite par Gabrielle Roy selon laquelle l'art permet de se découvrir. À mesure que la narratrice creuse dans le passé pour analyser les relations ambivalentes de la maîtresse et de l'élève, chacun a l'occasion de dévoiler un peu de lui-même et de clarifier des malentendus. Les descriptions réalistes provenant de l'observation de la nature ont une plus grande portée du fait que l'auteur leur confère une valeur symbolique.

La jeune institutrice est fascinée par Médéric, en partie parce qu'il est sur le point de sortir du monde de l'enfance qu'elle-même vient à peine de quitter. Obsédé par l'idée de devenir indépendant, Médéric conduit son cheval sur les collines avoisinantes pour y rêver de liberté et de bonheur. Sa maîtresse se rappelle combien la fascinaient les relations qu'il lui faisait de ses découvertes lors de ses promenades dans la nature : « Je voyais passer sur son visage le frémissement joyeux que lui avait procuré la sensation de tenir, tout consentant entre ses mains, le poisson le plus méfiant du monde, et me disais que ce serait bientôt son tour d'être pris, vulnérable comme je le découvrais, si moi-même je me montrais assez hostile. »[20]

La relation entre la maîtresse et l'élève est en quelque sorte inversée, c'est-à-dire que celle-ci n'a pas encore entièrement accepté le fait qu'elle ne pourra jamais retourner à la « frontière perdue » de l'enfance. Elle accepte donc l'invitation que lui fait le garçon de partager avec lui son monde « secret ». Le plus beau moment de leur excursion sera celui où tous deux jouent avec la truite engourdie dans l'eau glacée de la source. L'innocence spontanée des joies qu'ils auront ressenties ce jour-là sera toutefois bientôt tarie par les suspicions du monde adulte.

Mais l'institutrice, qui aime tous ses élèves, constate soudain que l'excursion dans les collines a été comme le prélude de l'amour exclusif que Médéric lui porte. Cependant, bien qu'elle-même se souvienne des tourments d'un premier amour, elle ne peut alléger les souffrances de l'adolescent : « J'avais le sentiment de voir un enfant mourant sous la poussée impitoyable de l'homme qui va naître. »[21]

CHAPITRE VIII

CONCLUSION

Gabrielle Roy s'est vu conférer à peu près tous les honneurs que le monde des lettres québécoises et canadiennes accorde à ses écrivains. Son talent est aussi reconnu internationalement. Elle compte un vaste auditoire de lecteurs, dont le nombre a sensiblement augmenté grâce aux traductions — particulièrement en langue anglaise. L'ensemble de son œuvre est aujourd'hui traduit en quelque douze langues, incluant le japonais et le russe.

Bien que son œuvre soit en même temps d'un intérêt universel, Monique Genuist, en 1966, déclarait, en commentant le double aspect de l'œuvre de Gabrielle Roy : « Tout comme Balzac est français et Dickens anglais, Gabrielle Roy est canadienne. »[1] Dans les années suivantes, les récits fictifs de Gabrielle Roy ont confirmé que son œuvre n'était pas que la quintessence canadienne. Par son côté humanitaire, elle peut prétendre à certaines valeurs universelles. Ceci est rendu possible par sa conviction que l'art enrichit et ennoblit. Elle nous livre un message à la fois simple et profond, une vision de la vie inspirée de la sagesse du passé, exprimée de façon personnelle. Dans un monde littéraire dominé par des visions portant sur l'aliénation de l'homme moderne et la perte de son identité, l'idéalisme de Gabrielle Roy et sa foi en l'homme ont apporté un renouveau d'espoir. L'œuvre de Gabrielle Roy n'a pas été directement influencée par ses devanciers européens. Il est toutefois évident que celle-ci se rapproche de l'œuvre des auteurs qu'elle admire, tels que Selma Lagerlöf, Thomas Hardy, Balzac, Proust et Antoine de Saint-Exupéry. Comme l'a noté M.-L. Gaulin, Gabrielle Roy devint, avec la publication de *Bonheur d'occasion,* « la pionnière du roman psychologique moderne au Canada français »[2]. Il est peut-être difficile d'imaginer l'impact de ce roman à la lumière des romans écrits entre-temps au Québec, notamment depuis la Révolution tranquille. Il n'est que d'évoquer des noms comme ceux d'Yves Thériault, André Langevin, Jacques Godbout, Anne Hébert, Marie-Claire Blais ou Antonine Maillet. En 1945, rappelons-nous, le Canada français se voyait reflété dans la *Maria Chapdelaine* de Louis Hémon (1914) ou les *Trente arpents* de Ringuet (1938). Le reste du monde avait aussi tendance à concentrer son regard sur l'image romancée d'une société canadienne-française rendue homogène par sa langue, sa foi et ses traditions. *Bonheur d'occasion* fut un des premiers romans à illustrer les changements qui s'opéraient dans cette société, par suite de l'industrialisation. Le réalisme inconditionnel de Gabrielle Roy devait naturellement entrer en conflit avec la vision idéaliste traditionnelle.

La conscience des problèmes sociaux et politiques qui a soustendu la composition de *Bonheur d'occasion,* de même que la fidélité manifeste de Gabrielle Roy à son héritage canadien-français et son profond sentiment d'appartenance au Québec, lui a valu quelques critiques. Certains lui ont reproché de ne pas avoir participé au débat politique qui divise les Canadiens. Mais Gabrielle Roy perçoit son rôle d'artiste assez différemment d'un Claude Jasmin[3] ou d'un Hugh MacLennan[4], par exemple, dont les romans reflètent la situation politique du Canada contemporain.

L'artiste, pour Gabrielle Roy, doit avant tout être libre. Liberté qui consiste fondamentalement à pouvoir être soi-même et qui s'étend, sur un plan plus superficiel, au choix de son sujet et de son style.

L'artiste doit avant tout rester fidèle à lui-même. Pour ce faire, il lui est interdit de prendre parti dans son œuvre quand surviennent des événements d'ordre social ou politique. D'autant plus s'il veut rester fidèle aux autres. C'est ainsi qu'en percevant *Bonheur d'occasion* et le reste de son œuvre non pas d'un point de vue sociologique ou politique, mais d'une perspective plus vaste, englobant l'humanité, l'on comprend le silence observé par Gabrielle Roy dans le dilemme politique actuel au Canada. Celle-ci soutient, d'autre part, qu'un prisonnier a autant besoin d'un oiseau que d'un avocat : « Il est futile d'essayer de déterminer ce qui importe le plus, de l'homme d'action qui se bat pour les droits de son semblable, ou du poète, ou de l'oiseau qui chante, à la nuit tombante, entre les barreaux d'une prison. »[5] Sa position a, en même temps, valu à Gabrielle Roy, les plus grands éloges. Jacques Dufresne, par exemple, avance que : « Ce qui distingue le génie du littérateur, c'est que le génie n'adopte jamais d'attitudes nettes, alors que le littérateur n'existe que par elles. En ce sens, ainsi qu'en plusieurs autres, Gabrielle Roy a du génie. »[6] Le milieu où évoluent ses personnages constitue un des aspects évidents du canadianisme de cet auteur. L'Est et l'Ouest sont d'une égale importance, car, si le passé demeure pour elle une permanente et riche source d'inspiration, sa nouvelle expérience du Québec lui sert de complément. Pour créer une image fidèle et complète du Canada, les logis surpeuplés des Lacasse de Montréal, dans *Bonheur d'occasion,* sont aussi nécessaires que le jardin solitaire de Marta Yaramko dans la prairie venteuse de « Un jardin au bout du monde ». Si la caractérisation joue un rôle important dans la fiction de Gabrielle Roy, le milieu occupe aussi une place de choix. Les descriptions détaillées ont parfois chez cet auteur une signification aussi grande que les impressions sensorielles introduites pour évoquer une atmosphère ou exprimer l'état physique et mental d'un personnage. Les descriptions de la ville et de la campagne, dans *Alexandre Chenevert,* en constituent un parfait exemple.

Ses dialogues, d'autre part, reflètent les dons d'observation de Gabrielle Roy appliqués au milieu. Ceci est particulièrement vrai dans le cas de *Bonheur d'occasion*. Plus tard, dans le but d'atténuer le caractère régional de son œuvre, Gabrielle Roy n'aura pas aussi souvent recours à ce procédé.

En incorporant dans son récit, tel le tisserand, les fils de sa toile, tous ses éléments imaginaires — intrigue, milieu, thèmes et personnages — Gabrielle Roy les fait se compléter et se renforcer mutuellement. Toutefois, étant donné que les relations entre les personnages ainsi que les valeurs demeurent stables, c'est au bout du compte la caractérisation psychologique ou l'universel qui prédominent.

Gabrielle Roy associe personnellement les grands classiques de la littérature mondiale à leurs personnages plutôt qu'aux idées qu'ils véhiculent. Il n'est donc pas étonnant que dans ses propres récits imaginaires elle donne la place d'honneur aux relations humaines. En constituant sa galerie de remarquables portraits, elle n'a pris pour modèles que des gens ordinaires.

Sa conviction de la dignité de tout être humain lui vient des nombreux contacts qu'elle avait dès l'enfance avec des gens de diverses nationalités venus chercher refuge au Canada. Grâce à l'amour et à l'extraordinaire sympathie qu'elle éprouvait pour ses semblables, ainsi qu'à une profonde psychologie et à son talent d'écrivain, elle a pu nous communiquer son sentiment que dans leur cœur tous les êtres sont semblables, que seules des différences superficielles les séparent. Écoutant parler Gabrielle Roy par la voix de ses personnages, le lecteur partage la joie de vivre de Luzina Tousignant autant que la tragédie d'Elsa Kumachuk et éprouve indirectement la solitude de Sam Lee Wong et l'angoisse d'Alexandre Chenevert ; le portrait de la jeune Christine est tout aussi prenant que celui de sa grand-mère vieillissante. Gabrielle Roy a magnifiquement atteint son idéal du progrès : le rapprochement de tous les êtres. Elle a réalisé son désir de nous communiquer cet idéal au moyen de son œuvre. Chacun de ses personnages naît à la vie au moment même où elle se soumet à leur ordre, muet mais non moins impérieux, de « raconter leur histoire ».

L'art est pour Gabrielle Roy, dans le sens le plus strict du terme, une « vocation ». L'art véritable exige de grands sacrifices de l'artiste, car il ne peut s'accomplir que dans un esprit d'abdication, en solitaire. Dans *La Montagne secrète,* Gabrielle Roy analyse cette philosophie sur le plan de la fiction.

Par ses actes créateurs, avance Gabrielle Roy, l'homme exprime non seulement l'essence de son humanité, mais aussi son origine divine. L'artiste est forcé d'obéir au besoin de créer que Dieu ou quelque force surnaturelle ont mis en lui. Et, au plus haut niveau, l'artiste exprime Dieu lui-même, tel que le fait Pierre Cadorai dans sa montagne. Gabrielle Roy ne peut toutefois pas être considérée comme un écrivain chrétien, au sens strict. Idéaliste, elle nous rappelle que nous pouvons tous devenir des créateurs, ainsi qu'elle nous en donne l'exemple dans « Ma grand-mère toute-puissante ». Le besoin d'écrire provient aussi du désir de se donner à autrui et de partager avec ses semblables des vérités pressenties ou comprises.[7]

Si Gabrielle Roy s'impose de hautes normes et se consacre entièrement à son art, elle attend aussi beaucoup de son public. Ceux de ses lecteurs qui abordent son œuvre avec « confiance et impartialité », ainsi qu'elle le recommandait[8], trouveront dans cette lecture une expérience enrichissante. Donald Cameron, par exemple, représente sans doute bon nombre de lecteurs lorsqu'il en arrive à la conclusion suivante : « Ce qui me touche dans Gabrielle Roy, en dernière analyse, c'est cette qualité qui réunit sa candeur presque enfantine, sa grande expérience, sa subtilité, son humanité : une qualité que je ne pourrais nommer que sagesse. »[9]

On peut qualifier Gabrielle Roy d'artiste essentiellement intuitive plutôt qu'intellectuelle. C'est ainsi qu'une réaction émotive sert souvent de point de départ à ses œuvres. L'indignation, par exemple, servit de catalyseur à la composition de *Bonheur d'occasion,* où est illustrée de façon si poignante la vie des pauvres dans un quartier ouvrier de Montréal. Bien que ce roman se base sur une documentation précise, les expériences qu'il dépeint ont de toute évidence été enrichies par les sentiments et l'imagination de l'auteur, qui tous deux ont contribué énormément au succès du livre.

L'importance de l'aspect intuitif dans l'art de Gabrielle Roy explique comment la mémoire a si souvent pu servir de catalyseur à son inspiration. Ceci est d'autant plus vrai que son pèlerinage imaginaire dans le passé — notamment dans *Rue Deschambault* et *La Route d'Altamont* — est né du désir d'arriver à se mieux connaître et mieux comprendre. L'invention chez Gabrielle Roy consiste essentiellement à recréer ou à reconstituer plutôt qu'à créer.

À un certain niveau, l'on peut donc dire que deux sources alimentent l'œuvre de Gabrielle Roy : le présent tel qu'illustré dans *Alexandre Chenevert* et *La Rivière sans repos* et le passé, retrouvé dans *La Petite Poule d'Eau* et *Rue Deschambault*. De façon générale, le passé baigne dans une atmosphère de rêve, parfois illusoire et utopique, tandis que le présent est empreint de réalisme. À certains moments, toutefois, la réalité peut, selon l'expression même de Gabrielle Roy, être « transfigurée », de sorte que la frontière entre réalité et illusion devient indiscernable. Ainsi dans *Rue Deschambault*. Il arrive même que cette distinction disparaisse complètement, car l'inconscient est d'une importance capitale dans son œuvre. Elle l'avoue elle-même : s'il est vrai qu'elle « donne naissance »[10] à tous ses personnages, qu'elle s'identifie à eux et leur confère certains traits de sa personnalité, il est également vrai qu'ils ont leur vie propre. À cause de cela, ils influenceront les événements et la structure de certains ouvrages, ainsi qu'elle l'a indiqué en discutant du personnage de Rose-Anna, dans *Bonheur d'occasion*. En définitive, la question de la réalité ou de l'illusion tombe d'elle-même, car les personnages qu'elle dépeint sont aussi vrais — peut-être le sont-ils même davantage — que les modèles qui les ont inspirés. Et c'est cette réalité que Gabrielle Roy communique à ses lecteurs. Le passage du passé au présent accuse aussi le fait que le monde intérieur, pour être compris, doit se situer dans le contexte de la société.

À l'oscillation entre le passé et le présent, ou la Prairie et le Québec, s'ajoutent d'autres dualités ou conflits significatifs. Plutôt que de porter atteinte à l'unité fondamentale de son œuvre enracinée dans sa personnalité et l'expression fidèle qu'elle nous en donne, ces bipolarités ajoutent de la profondeur à ses écrits et soulignent son souci du réalisme. Tel qu'illustré dans *Alexandre Chenevert,* si le milieu sert de miroir aux états d'âme des individus, toute harmonie avec soi-même ou avec les autres naît du monde intérieur.

Sur le plan personnel, le cas de Christine présente l'une des dualités les plus dramatiques de l'œuvre de Gabrielle Roy. Elle attribue à la personnalité de ses parents, son sentiment d'être à la fois « du jour et de la nuit ». Le paradoxe de la liberté et de la solidarité préoccupe également cet auteur, comme on peut le constater en lisant *La Rivière sans repos*. Les personnages de Gabrielle Roy se distinguent encore par la lutte qu'ils mènent entre leurs idéaux et la réalité. Ainsi en est-il de Florentine Lacasse, dans *Bonheur d'occasion,* et de Christine, dans *Rue Deschambault*.

Les rêves jouent un rôle important dans l'idéalisme humain. Gabrielle Roy y a souvent recours pour accentuer l'unique et le général chez les hommes. Combien poignante est la révélation de la tragédie secrète de la mère de Christine, exprimant l'espoir que son rêve se réalisera dans sa fille qui, elle, pourra devenir institutrice… Et l'exemple des Doukhobors, cherchant à s'établir dans la vallée Houdou, nous rappelle l'importance primordiale du rêve et de la foi dans la recherche du bonheur.

Alors que Gabrielle Roy célèbre la vie, la mort n'est pas absente de son œuvre. Et ne pourrait l'être, si l'on considère la conception de l'auteur voulant que « toute vie soit une tragédie »[11], surtout celle de l'artiste, à cause de son exceptionnelle conscience. Les dualités et les conflits se résolvent ultimement dans la conception de la vie comme étant un cycle. Ainsi que le vieux monsieur Saint-Hilaire explique à la jeune Christine dans « Le Vieillard et l'Enfant », de *La Route d'Altamont,* la fin et le commencement, le passé et le présent sont essentiellement semblables.

De même, à l'instar de son œuvre qui ultimement est perçue par Gabrielle Roy comme la quête d'elle-même — soit qu'elle adopte la narration à la première personne de *Ces enfants de ma vie,* soit qu'elle joue son rôle d'auteur omniscient dans *La Montagne secrète* —, le lecteur se voit reflété dans ses personnages. En reconnaissant le lien qui l'unit à l'auteur et à ses personnages, le lecteur approfondit la connaissance de lui-même. Les efforts de l'auteur pour vaincre sa solitude et l'accueil que fait le lecteur à la communication qui lui est offerte, confirment Gabrielle Roy dans sa foi en une fraternité humaine fondamentale.

À l'image de Pierre Cadorai, dans *La Montagne secrète,* Gabrielle Roy est poussée à tout vouloir englober dans un unique chef-d'œuvre. Tâche qui a sans doute motivé tous les artistes depuis la nuit des temps, tâche qui est toujours à recommencer. Enfin, tout comme l'artiste ne cesse de s'adresser à ses semblables, le public répond à cette communication, toujours fondamentalement la même, mais qui se voit constamment modifiée et perfectionnée par la vision de chaque nouvel artiste.

APPENDICE

LA DÉTRESSE ET L'ENCHANTEMENT

Le titre de l'autobiographie de Gabrielle Roy, *La Détresse et l'Enchantement,* évoquera peut-être certains personnages et certaines scènes pour les lecteurs déjà familiers avec l'œuvre de cet auteur, avant même qu'ils n'en commencent la lecture : Rose-Anna Lacasse enceinte, forcée de chercher de nouveau un logis, le désespoir d'Elsa Kumachuk réfugiée sur les rives de la rivière Koksoak, Christine dans son hamac, ou le retour de Luzina Tousignant à son île. Dans chaque cas, ni la détresse ni l'enchantement ne se trouvent à l'état pur, isolés l'un de l'autre ; ils se juxtaposent plutôt. Ainsi, si le caissier osait accepter le bonheur que lui offrent les LeGardeur, peut-être verrait-il sa détresse s'alléger. De même, ses préoccupations concernant sa sœur malade, risquent-elles de porter atteinte à l'enchantement de Christine. L'extase de Pierre Cadorai découvrant « sa montagne » est intimement associée au désespoir qu'il ressent à l'idée de ne jamais arriver à traduire l'image parfaite que lui en présente son esprit. Et comme l'on sait que l'œuvre et la vie de Gabrielle Roy sont inextricablement liées, c'est en frémissant d'anticipation que le lecteur ouvre le livre, déjà charmé par la photocouverture de « Gabrielle Roy, à vingt-deux ans, dans le jardin, rue Deschambault. »[1]

Publié à titre posthume en 1984, *La Détresse et l'Enchantement* traite des « années de formation de Gabrielle Roy, depuis son enfance franco-manitobaine jusqu'à son retour d'Europe à la veille de la Deuxième Guerre mondiale ».[2] Étant donné que les années correspondant à son œuvre de romancière — commençant par le succès phénoménal de *Bonheur d'occasion* — en sont absentes, cette autobiographie interrompue par la mort de l'auteur, à l'été de 1983, est incomplète ; mais seulement du point de vue chronologique. De fait, les deux volets de *La Détresse et l'Enchantement :* « Le bal chez le gouverneur » et « Un oiseau tombé sur le seuil », étaient prêts à être publiés.

Dans son « Avertissement de l'éditeur », François Ricard souligne que :

> « L'ouvrage qu'on va lire, Gabrielle Roy tenait à ce qu'il ne fût pas présenté comme des « mémoires », mais bien comme une autobiographie. Ce dernier terme, en effet, lui semblait correspondre plus fidèlement à la reconstitution historique d'une époque disparue, que,

par le souvenir et l'imagination, et surtout par une écriture fortement imprégnée de subjectivité et d'émotion, à la re-création, à la réassumation, dans le présent, d'un passé qui ne cesse jamais de prendre forme et de vivre à mesure qu'il est évoqué. »[3]

Georges Gusdorf suggère pour sa part

« (qu'une) autobiographie... exige que son auteur prenne de la distance vis-à-vis de lui-même, afin de retrouver, à travers le temps, celui qu'il fut jadis, et de s'identifier à lui. »[4]

Ainsi qu'elle nous l'apprend vers la fin de son autobiographie, Gabrielle Roy attribue directement l'élan qui la poussa à rédiger *La Détresse et l'Enchantement* à « la terrible maladie »[5] dont elle souffrit pendant sept ans et dont elle devait mourir.

« Et surtout, en me rappelant sans cesse que je suis mortelle, c'est elle qui m'a poussée à écrire ce livre que j'écris maintenant, elle qui m'a révélé tant de choses que je n'avais pas vues avant, comme si la vie menacée — mais quand donc ne l'est-elle pas ? — projetait sur elle-même une lumière qui l'expose de part en part. »[6]

En plus de recréer le passé, *La Détresse et l'Enchantement* contient des moments de « mémoires à projection ».[7] Ceux-ci sont particulièrement révélateurs quant aux sources d'inspiration de l'œuvre romanesque de l'auteur.

En réexaminant son identité, Gabrielle Roy se pose d'abord des questions qui révèlent chez elle, du moins implicitement, un sentiment de vulnérabilité.

« Quand donc ai-je pris conscience pour la première fois que j'étais, dans mon pays, d'une espèce destinée à être traitée en inférieure ? »[8]

Cette « sensation de dépaysement »[9] a toutefois eu, indirectement, des effets bénéfiques. L'expérience douce-amère que connut l'enfant chaque fois que sa mère l'emmenait de leur petite ville francophone à la grande ville officiellement anglophone de Winnipeg « m'ouvrait les yeux, stimulait mon imagination, m'entraînant à observer ».[10] Qualités précieuses pour toute future romancière.

Que Gabrielle Roy nous apparaisse, dans ces premières nouvelles, aux côtés de sa mère, souligne le rôle important que celle-ci a joué dans la vie de sa fille. Étroitement apparentée à la mère de Christine dans « Les Déserteuses », « l'aptitude au bonheur (de Mélina Roy) qui échoit à l'âme voyageuse »[11] est particulièrement frappante. Reconnaissant que nous sommes tous plus ou moins « étrangers », l'enfant conclut que « si tous nous l'étions, personne ne l'était donc plus ».[12] Cette philosophie, Gabrielle Roy l'illustrerait admirablement dans *La Petite Poule d'Eau* et ses œuvres suivantes.

LA DÉTRESSE ET L'ENCHANTEMENT *(510 p.)*

Cet ouvrage, publié en 1984, est la dernière œuvre de Gabrielle Roy. Demeuré inédit jusqu'à sa publication, à l'exception des premières pages qui furent déjà publiées en 1983 dans la revue Liberté, *il réunit les deux volets de l'autobiographie que Gabrielle Roy commença à rédiger vers 1976 et qui l'occupa jusqu'à sa mort.*

Cette sagesse est cependant souvent mise à l'épreuve par les affrontements que se livrent quotidiennement les mondes anglophone et francophone. « Apprendre l'anglais » constitue non seulement un défi, mais un moyen « de nous venger tous ».[13] Phénomène d'autant plus ironique que cette petite enclave francophone du Manitoba accepte volontiers tous les sacrifices pour sauvegarder son héritage français.

Les conditions modestes dans lesquelles vit la famille Roy — dues en grande partie à l'injuste renvoi, recréé dans *Rue Deschambault,* de Léon Roy de sa situation gouvernementale — sont cause de nombreuses épreuves, et deviennent une préoccupation dans *La Détresse et l'Enchantement.* La réalité semble se rapprocher beaucoup plus de celle dépeinte dans *Bonheur d'occasion,* où la lutte contre la pauvreté se poursuit quotidiennement, que de celle de *Rue Deschambault,* où elle n'est que d'une importance secondaire. Ainsi, chez Léon et Mélina Roy, les soucis que leur cause le coût de l'opération d'appendicite dont Gabrielle, alors âgée de douze ans, a besoin, viennent en conflit avec leur désir de la voir bien portante. Les considérations d'ordre financier reviennent sans cesse dans *La Détresse et l'Enchantement* alors que Gabrielle Roy se rappelle leurs logeurs de la rue Deschambault, le fardeau que représentait cette maison pour la famille et sa vente éventuelle ; les économies que la future romancière réalise plus tard, lorsqu'elle sera devenue institutrice, pour lui permettre d'aller en Europe, et le coût de l'opération de sa mère qui, s'étant brisé la hanche, l'empêchera peut-être de partir.

Nourrie des histoires de sa mère et douée d'une vive imagination, Gabrielle Roy, encore enfant, a une telle conscience des malheurs de ses ancêtres déportés d'Acadie, qu'elle prend la résolution de venger ses parents et grands-parents de leurs souffrances. Sa première vengeance consiste à exceller à l'école, où ses dons, tant en anglais qu'en français, deviennent apparents pour la première fois. Plus tard, elle se dirigera vers une carrière d'enseignante. Toutefois le temps — comme la pauvreté — apparaît sans cesse en ennemi.

Le père de Gabrielle Roy est persuadé qu'il ne vivra plus longtemps. Mais pour atteindre son but, la jeune fille se croit obligée de se concentrer entièrement sur ses propres besoins.

> « J'en venais à perdre de vue l'image de mon père souffrant et à me donner entièrement au travail. Ainsi en a-t-il été trop souvent dans ma vie. Dans ma hâte d'apporter aux miens un secours, un soulagement ou un motif de fierté, je n'ai pas assez pris garde qu'eux n'allaient pas attendre. »[14]

On retrouve des échos de ce débat intérieur chez Christine, dans *Le Jour et la Nuit* et *Rue Deschambault,* et chez Rose-Anna Lacasse tâchant coûte que coûte d'arriver à acheter la petite flûte de fer blanc dont rêve Daniel.

Gabrielle Roy réfléchit souvent à ce problème, devant les sacrifices sans cesse croissants que lui impose sa vocation d'écrivain. Plus d'une fois, à la mort d'un membre de sa famille ou d'un ami, elle se demande pourquoi son art est si exigeant.

La mort de Léon Roy démontre de façon frappante le « côtoiement » de la détresse et de l'enchantement. Devant le cercueil ouvert de son père, Gabrielle Roy se rappelle « le bal chez le gouverneur ». Cet événement — ou peut-être plutôt ce non-événement — représente pour Mélina Roy, en dépit de tout, l'un des points culminants de sa vie conjugale.

Poussé par Mélina, Léon a accepté une invitation au bal du lieutenant-gouverneur. Si démunis qu'ils doivent prendre le train et marcher dans leurs tenues de soirée pour s'y rendre, les Roy éprouvent le sentiment, dès leur arrivée dans le parc de la résidence du lieutenant-gouverneur, de n'être pas à leur place. Ils décident donc de rentrer sur-le-champ à la maison, mais Mélina, s'étant haussée sur une pierre, prendra tout de même le temps d'observer pendant un court moment ce qui se passe à l'intérieur. Sur le chemin du retour « ils n'étaient pas tristes ; elle se sentait encore comme tout illuminée par le spectacle de la fête. »[15]

Évoqué à la mort de son père, « Le bal chez le gouverneur » — tenu plusieurs années avant la naissance de Gabrielle Roy et qui sert de titre au premier volet de son autobiographie — confirme chez l'auteur le sentiment que c'est dans la mort plutôt que dans sa vie que l'être humain se révèle dans toute sa vérité. Face à la mort pour la première fois, Gabrielle Roy constate aussi le désir des survivants d'entretenir, avec une « clarté » et une « intensité »[16] sans précédent, la mémoire de leurs morts.

Son premier poste d'enseignante oblige Gabrielle Roy à se séparer, pour la première fois, de sa mère. Cette séparation rompra momentanément l'harmonie qui unissait les deux femmes, la mère, ironiquement, étant incapable de partager la joie de sa fille au moment du triomphe obtenu au prix de tant de sacrifices. Cet incident est particulièrement révélateur des sources d'inspiration de l'œuvre future.

Gabrielle Roy nous donne aussi une idée de la vie de ses frères et sœurs, tous plus âgés qu'elle. À de rares exceptions près, leur monde en est un de misère et de déception. « De tous ses enfants, je paraissais peut-être à maman la seule qui fût douée pour le bonheur. »[17] Surtout après la vente de la maison, rue Deschambault, et la mort de la mère, alors qu'il ne semblait plus y avoir « de noyau à notre famille ».

En vieillissant, toutefois, Gabrielle Roy éprouve de plus en plus un certain malaise. Bien que l'avenir, même en rêve, demeure pour elle obscur, elle se dit : « je n'étais pas ici tout à fait chez moi, (que) ma vie était à faire ailleurs. »[18]

Les activités estivales du Cercle Molière permettaient, par ailleurs, aux jeunes de canaliser pour un temps leurs énergies. Gabrielle Roy envisage même la possibilité de devenir comédienne de métier. Les déplacements de la troupe lui permettent de se familiariser avec la campagne manitobaine, ses villages, son peuple. Et le soir, à la maison, Gabrielle Roy trouve en sa mère un autre auditoire : pour les événements de la soirée. À l'encontre des années passées, les rôles de conteuse et d'auditrice sont maintenant inversés. La jeune fille découvre que ses histoires ont, en quelque sorte, et d'une façon mystérieuse, leur vie propre. Elles sont comme un don que reçoit le conteur et qu'il doit accepter chaque fois qu'il s'offre à lui. Mais attention : si une bonne histoire doit savoir combiner spontanéité et métier, trop la retravailler peut détruire son art véritable.

Bien qu'elle soit convaincue que son désir — sinon son besoin — de partir en Europe est comme un « appel mystérieux »[19] relié à l'émigration de ses ancêtres, les relations de Gabrielle Roy avec sa mère n'en demeurent pas moins tendres. Mais lorsque la mère aura accepté la décision de sa fille, elle deviendra sa plus fervente alliée, la défendant auprès de ses frères et sœurs qui demeurent dans le doute. Seule Dédette encouragera sa sœur à partir, ce qui plus tard incitera Gabrielle Roy à se demander si l'appui moral de sa sœur religieuse ne viendra pas de la suppression par la règle de son amour excessif de la vie et de la liberté.

L'été précédant son départ pour l'Europe, Gabrielle Roy enseigna l'école à La Petite Poule d'Eau. Comme cela deviendrait évident par la suite, ces semaines devaient compter parmi les plus insouciantes, les plus enchantées de sa vie.

> « Je devenais heureuse... J'étais comme coupée de mon passé et pour ainsi dire sans avenir. »[20]

À son insu, La Petite Poule d'Eau lui apporterait plus tard les éléments d'un de ses ouvrages les plus remplis de bonheur et les mieux aimés. Les personnages ici encore ont pour modèle des gens qu'elle aimait et qui l'aimaient en retour — la famille de son oncle Excide notamment. Ce roman doit son succès en grande partie au fait que : « Si bien qu'il est vrai de dire d'un livre qu'il est une partie de la vie de son auteur en autant, bien entendu, qu'il s'agisse d'une œuvre de création et non de fabrication. »[21]

Le second volet de *La Détresse et l'Enchantement,* « Un oiseau tombé sur le seuil », transporte le lecteur du Manitoba en Europe, et plus tard, à Montréal. Gabrielle Roy met plus d'emphase dans le portrait qu'elle y fait d'elle-même et de ses connaissances que dans le premier volet. Les gens et les événements sur lesquels sa mémoire s'arrête sont aussi révélateurs que les sujets que l'auteur laisse de côté. Ses premiers contacts avec Paris sont décevants. Sa chambre est peu sympathique, mais celle d'une « payse », « à ras les hauts toits de Paris » l'enchante et servira plus tard de modèle au refuge de Pierre dans *La Montagne secrète*. De santé fragile, elle s'acclimate difficilement à son nouveau milieu, semblant « une plante malmenée ».

Le théâtre français la déçoit également. Elle fuit littéralement l'occasion d'auditionner devant Charles Dullin, et conclut à contre-cœur que son avenir n'est peut-être pas sur la scène. Elle hésite toutefois à prendre une décision définitive étant donné que le théâtre est sa raison d'être en Europe. Elle entretient avec Ludmilla Pitoëff des contacts fructueux, en ce sens que la grande comédienne comprend l'incertitude de la jeune Canadienne.

Cette période d'ennui est toutefois illuminée par des moments d'enchantement. Ainsi en est-il du jour où elle aperçut au fond des Tuileries, le rougeoiement du couchant. Peu à peu, d'une façon quasi imperceptible, elle comprend ce « don du regard » qu'elle possède et qui ne servira de rien à moins qu'elle n'apprenne à le partager avec d'autres.

Après la froideur de Paris, Londres lui paraîtra plus amical. Elle y retrouvera un musicien manitobain du nom de Bohdan. Préoccupé par ses études et sa carrière, il a peu de loisirs. Et il n'y a pas de place, dans la vie de cet artiste, pour l'amour. La confiance qu'il manifeste envers une carrière d'écrivain pour Gabrielle Roy, ne peut toucher la jeune femme en proie à une semi-léthargie. Les sentiments de dépaysement et de trop grand isolement qu'elle éprouve étouffent en elle tout potentiel créateur.

Poursuivant ses études d'art dramatique, cette fois à la Guildhall School of Music and Drama, elle apprécie le théâtre anglais, le trouvant beaucoup plus naturel que le français.

Elle se fait aussi plusieurs amis dont Phyllis, avec qui elle ira souvent au théâtre. Grâce à Lady Frances Ryder, qui s'intéresse aux Overseas British Empire Students[22], Gabrielle Roy rencontre des membres de la haute société anglaise qui l'invitent dans leurs châteaux et propriétés à la campagne.

Le retour du printemps la comble d'aise :

> « La joie qui m'inonda était elle-même une naissance, mon propre retour à la vie, et c'est en la recueillant que je sus à quel point j'avais été, à bien des égards, comme morte. »[23]

Mais cette joie qu'elle éprouve lui semble un fardeau — plus lourd encore que ses peines — si elle ne peut la partager. Cette idée de partage atteindra son apogée dans *La Montagne secrète*, alors que le printemps de Paris fera renaître Pierre à la vie.

Ce printemps londonien rempli de joie semblait aussi un appel à l'amour. Gabrielle a de nombreux admirateurs, mais c'est de Stephen, un Canadien d'ascendance ukrainienne, qu'elle tombe amoureuse. Leur relation ne survivra cependant pas aux mystérieuses activités qui, périodiquement, le font brusquement disparaître puis réapparaître dans sa vie. Le poids de cette mésaventure sera tel que Gabrielle Roy avouera : « J'ai gardé pour longtemps, peut-être pour toujours, de l'effroi envers ce que l'on appelle amour. »[24]

Le vague à l'âme de la jeune femme se révèle, par ailleurs, dans ses fréquents déplacements — comme ce sera plus tard le cas pour plusieurs des principaux personnages de ses romans. Le hasard l'amène à l'Upshire où elle est reçue à bras ouverts par Esther et Father Perfect. « Et vous voilà comme un oiseau qui a fait long voyage pour choir, du ciel, juste sur mon seuil. »[25] Les mois passés dans cette ambiance paraîtront à la jeune femme aussi paradisiaques que les semaines vécues à La Petite Poule d'Eau. Dix ans plus tard, lorsqu'elle retournera à l'Upshire pour écrire *La Petite Poule d'Eau*, la symbiose de ces deux mondes enchantés s'accomplira.

Cette période de quasi-enchantement, où le temps semble suspendu, est d'autant plus exceptionnelle que ni la menace d'une guerre mondiale, ni les souvenirs du passé ne semblent la troubler.

Le sentiment de sécurité qu'elle éprouve alors, ainsi que celui d'être aimée de son entourage, renforcent en elle le désir d'aimer autrui. Elle se découvre par ailleurs un désir impérieux de créer qui lui rappelle les histoires qu'elle racontait jadis en français :

> « ... je découvris en moi, ce matin-là, le vif désir d'écrire, né tout aussi instantanément. Cela m'était déjà arrivé : je m'éveillais heureuse de vivre, dans des dispositions de tranquillité, de disponibilité, et du même coup, surgissait dans mon esprit une histoire pour ainsi dire toute prête, que j'avais grande envie de raconter. »[26]

À cause de sa santé fragile, notamment de ses maux de gorge, Gabrielle Roy se voit forcée de changer de climat. Le conseil d'un médecin d'abandonner l'idée d'une carrière théâtrale, lui semble étrangement consolant :

> « Ses paroles venaient de me soulager d'un poids énorme dont je n'avais su tout à fait que je le portais. »[27]

Et tout comme le lecteur de *La Détresse et l'Enchantement* l'aura sans doute soupçonné, Gabrielle Roy vient confirmer que cet incident a inspiré l'un des épisodes d'*Alexandre Chenevert*. Les semaines du début de 1939 passées alors en Provence en compagnie de Ruby Cook, un autre compatriote, comptent parmi les plus heureuses, les plus insouciantes de sa vie.

> « Pour la première fois de ma vie, j'étais loin de tout le mal qui m'avait atteinte ou atteignait les autres. Si j'ai tellement aimé ce cher pays de Provence, c'est peut-être avant tout parce que là seulement j'ai vraiment été libérée d'angoisse, libérée d'ambition et peut-être même de souvenirs — l'être bienheureux qui vit au jour le jour. »[28]

Le lecteur établit encore une fois la comparaison avec Alexandre Chenevert. Et dans sa propre vie, ce désir de bonheur de Gabrielle Roy se traduit par « une hantise incroyable dans ma vie »[29] de retourner aux endroits où elle a été heureuse.

Tous les êtres humains, particulièrement les mourants, ont besoin de se rappeler les jours heureux. Cela, Gabrielle Roy le comprendra et considérera de son devoir d'éveiller les autres à cette constatation :

> « Ce qui compte alors c'est d'avoir un moment tenu entre ses mains le bonheur comme s'il était la clé de l'amour et du mystère de notre existence. »[30]

La vue des premiers réfugiés de la Guerre d'Espagne incite Gabrielle Roy « à écrire mes premières pages dictées par l'indignation, la pitié, la grande souffrance d'appartenir à l'espèce humaine. »[31]

Rétrospectivement, elle trouve peu étonnant qu'à une époque où, à Montréal, l'on n'avait pas permis à un André Malraux de s'exprimer, l'on n'ait pas publié ses articles et photos. Cette fois, la menace de guerre était trop réelle pour ne pas être prise au sérieux. Après de courts séjours à Paris et à Londres avant de rentrer au Canada, Gabrielle Roy s'embarque pour Montréal, « l'âme malade »[32].

Revoyant ses expériences et ce qu'elle avait accompli depuis son départ du Manitoba, elle se dit : « Sur tous les plans, je sentais que j'avais échoué : en amour, dans l'écriture, en art dramatique, en toutes choses vraiment. »[33]

Bien que son avenir soit encore imprécis, Gabrielle Roy décide, une fois à Montréal, de demeurer dans l'ambiance française du Québec plutôt que de retourner à son ancienne école. En même temps, elle supplie sa mère d'attendre sa benjamine encore un peu.

Rétrospectivement, il appert que sa décision de demeurer à Montréal ait déterminé sa carrière d'écrivain. Après avoir écrit des articles et des nouvelles pour *Le bulletin des agriculteurs* et autres revues, Gabrielle Roy, dans l'espoir de tromper sa solitude, se met à écrire ce qui allait devenir son premier chef-d'œuvre : *Bonheur d'occasion*.

Bien que physiquement de grandes distances la séparent de sa mère, elle lui rend hommage par cette œuvre :

> « ... je serais happée entière par le sujet, aidée et soutenue par tout ce que j'aurais acquis de ressources, de connaissances de l'humain et par la solidarité avec mon peuple retrouvé, tel que ma mère, dans mon enfance, me l'avait donné à connaître et à aimer. »[34]

Tout en jugeant avec modestie, à la fin de son autobiographie, ses débuts de romancière, sa capacité d'aimer et son don de savoir révéler aux autres la valeur de leur vie la rassurent. Qualités entretenues par « la détresse et l'enchantement qui m'habitent depuis que je suis au monde et ne me quitteront vraisemblablement qu'avec la vie. »[35]

Cette conviction porte Gabrielle Roy à conclure que si le chemin parcouru a semblé la mener vers un but inconnu, la direction en était néanmoins significative, car :

> « L'oiseau pourtant, presque dès le nid, à ce que l'on dit, connaît déjà son chant. »[36]

TÉMOIGNAGES

Gabrielle Roy a accaparé ma vie et mes énergies, pendant plus de cinq ans. Pour moi, toute cette aventure de *Bonheur d'occasion* a commencé alors que je travaillais à un autre film, dont l'action se passait durant la guerre de '40. Et pour me replonger dans l'atmosphère particulière de cette époque, j'ai lu tout ce que je trouvais pertinent à cette période de notre histoire.

C'est dans ces circonstances que j'ai relu *Bonheur d'occasion*. C'est sûr, je l'avais lu à l'école, de façon superficielle, un peu comme un devoir. Pour être franche, je n'avais peut-être lu que les passages essentiels qui me permettraient de m'en tirer à l'examen.

Cette fois-ci, j'ai été séduite.

Séduite par la profondeur et la simplicité de cette histoire d'amour. Et surtout, quand on lit plus attentivement, on se rend compte que Gabrielle Roy elle-même a pris un soin méticuleux à décrire très visuellement chaque sourire esquissé, chaque tremblement de lèvres, chaque battement de paupières, révélateurs de ces états d'âme.

J'ai été séduite aussi par le défi extraordinaire de faire un film entièrement fondé sur les émotions alors qu'au cinéma en ce moment on semble envahi par les robots ou la violence. Pouvoir suivre à l'écran les changements d'humeur, plus encore : les transformations psychologiques de personnages simples et ordinaires m'est apparu comme une occasion privilégiée.

Pendant le tournage du film, Claude Fournier, co-scénariste et metteur en scène de *Bonheur d'occasion,* avait toujours en poche le roman. Plus d'une fois quand il préparait une scène avec les acteurs, je l'ai vu consulter le livre, lire un extrait du roman en réponse à des incertitudes d'interprétation.

Sur le plan du travail quotidien, le roman était devenu notre bible à tous, la vérité était là... En cas de doute, tous les fidèles de la production : du producteur et du metteur en scène, en passant par le directeur artistique,

Photographies prises lors du tournage de Bonheur d'occasion.

Photos : Attila Dory

Ci-haut : Claude Fournier en compagnie de Marie-José Raymond.

En bas, Marie-José Raymond dirigeant les comédiens Mireille Deyglun et Pierre Chagnon.

la créatrice de costume recouraient automatiquement au livre de la vérité : l'œuvre de Gabrielle Roy. Pendant le travail d'adaptation, plus on relit, plus on s'émerveille de l'art de Gabrielle Roy. C'est comme observer un bijou précieux à la loupe.

Et on est aussi envahi par un sentiment d'humilité devant la tâche à accomplir, devant la responsabilité de bien choisir, de bien traduire, de rendre possible la transposition visuelle.

Et il y a aussi les angoisses qui s'installent...

Ce n'est qu'après un coup de téléphone mémorable qu'une partie de ces angoisses s'est dissipée.

J'avais fait parvenir à Gabrielle Roy les scénarios terminés. À cause de son travail, elle m'avait prévenue qu'il lui faudrait peut-être un bon mois à passer à travers les trois cents pages.

Quatre jours plus tard, un après-midi de juin 1981, alors que j'étais dans mon potager à la campagne, on m'appelle... un téléphone de Québec... C'était Gabrielle Roy : « Madame Raymond, c'est excellent, je vous attends chez moi demain ».

Inutile d'essayer de décrire ma joie et ma fierté.

Le lendemain, avec Claude Fournier et Gabrielle Roy, nous avons revu scène par scène le produit de près de deux ans de labeur. À cette occasion, j'ai découvert Gabrielle Roy, la femme sans artifice et sans prétention, d'une franchise et d'une droiture sans compromis. Une femme qui a choisi rationnellement le métier d'écrivain avec, bien sûr, ses satisfactions, mais aussi ses énormes sacrifices.

Un peu comme Florentine qui promet à Emmanuel d'être pour lui une bonne épouse, on constate que Gabrielle Roy a tenu la promesse qu'elle s'était faite à elle-même d'écrire, d'écrire au détriment peut-être d'autres passions.

Pendant toute la période de pré-production du film, j'ai pris l'habitude de longues conversations téléphoniques avec Gabrielle Roy.

Elle avait refusé de participer par téléphone à la conférence de presse annonçant le début du tournage parce que le médecin lui interdisait toute émotion vive, mais elle semblait prendre plaisir à ces longues discussions où il était question de Saint-Henri, des personnages, des acteurs, du déroulement des scènes... et même du financement du projet... Sa confiance et son exemple sont devenus une source d'inspiration personnelle.

Le mercredi 13 juillet 1983 avait lieu au Festival de Moscou, à 2 heures de l'après-midi, la première mondiale de *Bonheur d'occasion*. Le lendemain, à la fin de la conférence de presse que nous donnions devant près de deux cents journalistes dont beaucoup connaissaient le roman, le chargé d'affaires de l'ambassade du Canada est venu annoncer la mort de Gabrielle Roy. Je l'ai su plus tard, elle était morte au moment même où le film était projeté à Moscou. Mais elle ne l'avait elle-même jamais vu.

Au cours de ce qui devait être notre dernier téléphone, une semaine avant mon départ pour Moscou, j'ai insisté pour aller lui montrer le film. Sa santé ne lui permettait pas cette expérience bouleversante. À la fin de ce long téléphone qui avait commencé avec un tout petit filet de voix, c'était encore elle qui, reprenant son souffle, m'encourageait, me félicitait pour ma persévérance, et me souhaitait mille succès.

Elle avait passé trois ans de sa vie à écrire *Bonheur d'occasion,* ça m'en avait pris le double à porter le roman à l'écran. Elle en était très consciente car elle a confié à Alain Stanké : « J'ai bien l'impression que Madame Raymond aura travaillé plus longtemps et plus fort au film de *Bonheur d'occasion* que j'ai travaillé moi-même au roman ».

C'est l'admiration que je lui porte, je crois, qui m'a poussée à y consacrer tout ce temps. Je conserve un souvenir précieux des moments privilégiés passés en sa présence, et en la présence de ses personnages.

Je n'oublierai jamais ni Gabrielle Roy ni *Bonheur d'occasion* et j'essaierai d'avoir son courage et son feu sacré afin de donner vie, moi aussi, à ma mesure, à de nouveaux films.

Marie-José Raymond
Producteur du film
Bonheur d'occasion

À ce jour, Gabrielle Roy demeure le seul écrivain canadien de distinction à avoir été acclamé unanimement par les milieux littéraires des deux cultures et à connaître une aussi grande popularité dans les deux langues du pays. Beaucoup d'écrivains canadiens ont obtenu de grands succès dans une langue et des succès d'estime dans l'autre. Il y en a qui ont atteint un grand succès dans l'une des deux langues et un succès modéré dans l'autre. Mais pas un, à ma connaissance, n'approche le record battu par Gabrielle Roy.

La plus belle chose que je puisse souhaiter à un éditeur, à un libraire ou à un bibliothécaire c'est que sa carrière soit illuminée par l'amitié d'une Gabrielle Roy. Cette expérience en fut une de grande inspiration pour moi.

Son premier roman, *Bonheur d'occasion* (The Tin Flute) a été publié par McClelland & Stuart à l'automne 1946, année à laquelle j'ai fait mon entrée dans cette maison d'éditions. J'ai rencontré Gabrielle Roy pour la première fois en 1947, à Saint-Boniface et nous sommes restés amis et collaborateurs depuis tout ce temps. Je l'ai dit à de nombreuses occasions que j'étais tombé follement amoureux d'elle le jour où nous nous sommes rencontrés. C'était vrai.

Je n'ai jamais oublié notre première rencontre pas plus que je n'oublierai notre dernière. Si un jour je découvrais l'alchimie qui pourrait transformer l'éditeur que je suis en auteur, je n'hésiterais pas à décrire toutes ces merveilleuses rencontres en détail.

Jack McClelland
Éditeur (McClelland & Stuart)

Extrait d'un témoignage publié
dans Quil and Quire, septembre 1983.

À Petite-Rivière-Saint-François, où sa maison échappait de justesse à la marée haute, comme à Québec, dans son appartement qui, au-delà des arbres, avait une vue sur le fleuve, j'ai passé de nombreuses heures en compagnie de Gabrielle Roy, à réviser mes traductions.

Nous nous attaquions d'abord à une liste de problèmes notés par l'auteur, puis passions aux suggestions de Lily Poritz-Miller, la chargée de projets de McClelland and Stewart, personne extrêmement sensible et consciencieuse.

Gabrielle connaissait bien l'anglais, ce qui lui permettait de déceler la moindre fausse note dans mon travail et de me remettre fermement sur le droit chemin. En revanche, je devais montrer tout autant de fermeté pour rejeter certaines suggestions, inévitablement un peu saugrenues, qu'ellle me faisait en anglais. Cet exercice assez lent était toujours amusant, mais nous en sortions épuisés au terme de la journée.

La patience, la tendresse et le professionnalisme dont Gabrielle faisait preuve vis-à-vis de son oeuvre ne cessa jamais de m'émerveiller. Sa façon de se pencher sur ses écrits me donnait l'impression que ceux-ci la touchaient souvent aussi profondément qu'au moment de leur rédaction. En véritable femme de lettres, elle attachait une grande importance au style et à l'euphonie (allant jusqu'à lire ses textes à haute voix et m'incitant à l'imiter pour mes traductions). Ellle éprouvait toutefois, en même temps, une vive sympathie pour les êtres qui lui servaient de modèles: les pauvres, les reclus, tous ceux qui souffraient d'isolement dans ce vaste pays solitaire.

Ayant refait la traduction de *Bonheur d'occasion* (The Tin Flute), j'allai à Québec la lui remettre. Nous fûmes toutefois forcés d'interrompre notre façon habituelle de travailler après seulement une heure ou deux. À bout de forces, Gabrielle ne put continuer.

Privée de ses lumières, cette traduction souffre sans doute de nombreuses faiblesses. Mais je n'en connais pas l'importance.

Alan Brown

GABRIELLE ROY, romancière ?

Ses yeux toujours tournés vers l'infini, à la recherche de l'émerveillement, rappelant les embruns ou la brume légère d'une aube, d'une exquise sensibilité, Gabrielle Roy a connu des joies profondes et des blessures tout aussi profondes. C'est là le sort des êtres d'exception. Pudique, elle a su garder jalousement le secret de son cœur blessé. À peine le retrouve-t-on en filigrane dans son œuvre.

Gabrielle Roy ne s'est jamais livrée entièrement. Pourtant, écrivain de génie, la première des nôtres à être reconnue sur le plan international, elle n'est pas à proprement parler une romancière. Beaucoup plus que le fruit d'une imagination créatrice, son œuvre s'inscrit plutôt comme un témoignage des lieux, des choses et des êtres qui ont vécu dans son sillage.

Que ce soit les plaines du Manitoba — *La Petite Poule d'Eau* —, la petite maison blanche en planches à déclin — *Rue Deschambault* —, le petit vécu quotidien de Florentine et le Saint-Henri ouvrier — *Bonheur d'occasion* —, les petits gros problèmes des gens de tous les jours — *Cet Été qui chantait* —, l'étiolement de la civilisation des Inuit minée par le progrès des Blancs — *La Rivière sans repos* —, le cheminement de l'artiste — *La Montagne secrète* —, tout cela Gabrielle Roy l'a vécu cruellement.

Gabrielle Roy a écrit au rythme du cœur des autres, mais son cœur à elle, déchiré, l'a-t-elle vraiment révélé ? Un jour, peut-être, pourrons-nous percer le secret que masquait ce regard au reflet de mer étale !

Paul-Marie Paquin
Ancien directeur littéraire
aux Éditions Beauchemin
et son conseiller littéraire
pendant dix ans.

Si je n'ai jamais eu le plaisir de rencontrer Gabrielle Roy, j'ai tout de même l'impression de l'avoir connue. Pendant la guerre, alors qu'elle écrivait *Bonheur d'occasion,* je travaillais en effet au Service international de Radio-Canada. Or, un jour, un linguiste réputé du nom de Henri Girard que j'avais pour collègue, me dit, en désignant un manuscrit qu'il tenait à la main : « Je suis en train de lire un chef-d'œuvre » Le titre ? *Bonheur d'occasion.* L'auteur ? Une jeune femme. Gabrielle Roy, qui le lui avait confié pour s'assurer qu'elle ne faisait pas de fautes de français. J'aurais sans doute pu lui demander de me laisser lire ce manuscrit : mais dans le métier que j'exerçais alors — animatrice-reporter de « La Voix du Canada » — on était toujours tellement bousculé... Quelle a été mon émotion toutefois en lisant dans son autobiographie que Gabrielle Roy habitait non loin de là. Sans doute était-elle venue dans nos bureaux ! Peut-être serions-nous devenues amies, elle qui, à l'époque, souffrait tant de solitude...

À l'occasion de la présente traduction, je me suis comme toujours référée à l'original. C'est dire, étant donné la portée de cette étude, que j'ai lu ou relu d'un trait tous les ouvrages de Gabrielle Roy. Quelle douceur, quel enrichissement, quel don fait au lecteur, après l'aridité du « Nouveau Roman » et le jargon de tant d'intellectuels ces dernières années, de redécouvrir cet auteur au style simple, qui ne craint pas, directement ou à travers ses personnages, de nous faire partager ses joies et ses peines. D'une simplicité telle que souvent, en la lisant, on se dit (à tort bien entendu) : « J'aurais pu écrire cela », et d'une telle vérité, d'une telle sincérité que comme chez Proust — j'entends le fond et non la forme — on se reconnaît presque à chaque page.

Signe infaillible du grand auteur qui suit sa voie sans se préoccuper des modes : l'œuvre de Gabrielle Roy est aujourd'hui fraîche, limpide, et aussi actuelle que si elle venait de l'écrire.

Michelle Tisseyre

Lorsque Gabrielle Roy écrivait *Bonheur d'occasion,* elle ne savait sûrement pas que j'étais un des personnages de son roman.

Moi aussi, j'étais à la gare, parmi tout ce monde ! Et je suis demeurée longtemps songeuse, un soir, à l'observatoire du Mont-Royal.

Durant la guerre, j'en ai vu des mamans dire adieu à leurs maris, à leurs fils soldats.

J'en ai vu des fiancées tristes, aux regards perdus.

Je me souviens de ces silences lourds, troublés par le bruit des pas cloutés, par des sanglots trop longtemps retenus. Dans ma tête d'enfant, des tas de questions se bousculaient.

Mais voilà, si l'époque était la même, l'endroit ne l'était pas.

J'assistais à ces adieux, non pas à la vieille gare Bonaventure, aujourd'hui démolie, de la rue Saint-Antoine, à Montréal, mais bien à celle de Kamakura, au Japon.

Ce spectacle se déroulait souvent devant nos yeux, à ma mère et moi ; pendant que nous attendions le train, retardé, des fois, par les bombardements sur Tokyo ! J'ignorais alors qu'un jour, je revivrais aussi intensément ces instants troublants. Quelle coïncidence !

Et, par un beau soir d'été, tout comme Emmanuel, appuyée au parapet de l'observatoire du Mont-Royal, j'ai réfléchi longtemps sur ma destinée, tout en scrutant une infinité de lumières, plus bas, à mes pieds.

Des bruits, des murmures, les mêmes sans doute, typiques à chacun des quartiers de Montréal, y compris Saint-Henri, montaient par vagues jusqu'à moi.

Si l'ami de Jean Lévesque semblait songeur, ce soir-là, et avait le coeur bien gros, c'est qu'il réalisait, tout à coup, l'ampleur du geste qu'il venait de poser.

« Pour le mieux, pour le pire... », devait-il se dire, tout en serrant entre ses doigts un képi kaki, tout beau, tout neuf. Ne venait-il pas d'entrer dans l'armée canadienne !

Des années plus tard, j'avais, dans la nuit, en haut de la même montagne, des sentiments identiques, à cause d'une décision que je venais de prendre, moi aussi.

Sauf que ce que je tenais, tout beau, tout neuf, entre mes doigts, c'était un certificat de citoyenneté canadienne, que l'on m'avait solennellement remis, ce soir-là, au cours d'une cérémonie au chalet du Mont-Royal. La vie parfois, par des chemins différents, nous amène au même rendez-vous.

Aujourd'hui, Québécoise enracinée, je revois, grâce à *Bonheur d'occasion,* toutes ces Rose-Anna, ces Florentine, tous ces Azarius, ces Emmanuel que j'examinais et scrutais, assise sur mon banc de gare, et que, du haut de mon observatoire de la montagne, je cherchais à retrouver, là-bas, tout au loin.

(...) Un jour, j'ai lu *Bonheur d'occasion*. Ce roman me troubla profondément, je dois l'avouer.

Toutes ces coïncidences, ces ressemblances revenaient sans cesse dans ma tête. Que ça bougeait là-dedans ! Au prix de plusieurs nuits sans sommeil, sciemment, je revoyais tout.

À la gare, mêmes départs de soldats pour la guerre ; au même observatoire, de longues minutes de réflexion ; mêmes comptoirs de restaurant ; les « Quinze-Cents », comme celui de Florentine.

(...) Mieux encore, Gabrielle Roy envoie aux sucres, en « truck emprunté », Azarius et Rose-Anna, sa femme, à Saint-Denis, de l'autre côté du Richelieu, à quelques arpents de mon atelier.

Je ne sais pas à quelle cabane les Lacasse ont mangé leurs œufs dans le sirop, mais je la connais, je le sens, pour avoir dessiné presque toutes les cabanes à sucre de la région !

Tout cela passait et repassait en désordre dans mon esprit.

J'ai la drôle de sensation que l'auteur de *Bonheur d'occasion*, cette grande dame de la littérature québécoise, m'a toujours située, même connue, sans jamais me rencontrer.

Voilà pourquoi c'est avec une certaine appréhension, tant ce projet me dépassait et, en même temps, me touchait de près, que je me suis permise d'illustrer *Bonheur d'occasion*.

Miyuki Tanobe
Extrait du témoignage de l'artiste-peintre publié lors de la parution de sa série de sérigraphies consacrée à *Bonheur d'occasion*.

« Rose-Anna descendait du tram, rue Notre-Dame lorsque devant les Deux records, elle aperçut un bulletin de nouvelles... Les Allemands envahissent la Norvège !

Illustration extraite de la série de sérigraphies Miyuki Tanobe retrouve Bonheur d'occasion.

Dès l'instant où je l'ai rencontrée, en juillet 1973, à son chalet de la Petite-Rivière-Saint-François, et pendant toutes les années que je lui ai rendu visite, c'est-à-dire jusqu'à sa mort en juillet 1983, une chose en particulier est restée associée pour moi à la personne de Gabrielle Roy : un immense fond de lumière. Que ce soit dans sa petite maison de Charlevoix, haut perchée au-dessus du fleuve, ou dans son appartement de Québec, qui donnait sur les Plaines, nous nous asseyions toujours, quand elle me recevait, devant une grande fenêtre, où l'on n'apercevait rien d'autre, me semble-t-il, qu'une clarté sans fin. Les propos qu'elle me tenait avaient beau parfois briser le cœur, surtout dans les dernières années quand vraiment elle attendait de partir, il y avait toujours, à côté d'elle, derrière la fenêtre, cette magnifique lumière, ce vaste dégagement d'espace qui se tenait là et qui allégeait tout.

C'était alors une femme de 60, et bientôt 70 ans, qui à vrai dire ne vivait plus que pour une chose : écrire. Elle ne prenait pas nécessairement la plume tous les jours, ni pendant très longtemps. C'était surtout l'été qu'elle travaillait, retirée à la Petite-Rivière-Saint-François. Mais alors, elle écrivait avec une intensité extrême, attentive à rien d'autre, tout absorbée par les êtres et les événements qui naissaient de sa mémoire et de son imagination. Et le reste de l'année, rentrée en ville, elle reprenait ses manuscrits, les faisait recopier, les polissait, fouillait dans le dictionnaire et la grammaire, raturait certains passages, en récrivait d'autres, jusqu'à ce qu'au bout de trois ou quatre moutures, et après l'avoir lu à quelques amis, elle ait le sentiment que son texte était tout à fait au point et qu'elle ne pouvait plus rien y changer.

Alors seulement elle le donnait à publier. Puis elle suivait de très près la préparation du livre, corrigeait les épreuves, s'intéressait à la présentation matérielle du volume, et ensuite à la version anglaise, qu'elle discutait avec son traducteur. Quand un de ses livres anciens était réédité, elle le relisait pour le polir encore et s'assurer qu'il soit sans bavure aucune.

C'est à cela, surtout, que je l'aidais. Elle m'avait reçu pour la première fois à l'époque où j'écrivais sur elle un petit livre, publié en 1975. Aussitôt, nous sommes devenus amis.

François Ricard

Extrait d'un article publié
dans ***L'actualité,*** *octobre 1984.*

NOTES ET RÉFÉRENCES

Avant-propos

1. John Hind-Smith, *Three Voices*, p. 88.

Chapitre premier

1. *Rue Deschambault*.
2. Ringuet, pseudonyme de Philippe Panneton (1895-1960), auteur du roman *Trente arpents* (1938) pour lequel il reçut le prix de l'Académie française.
3. Ringuet, « Conversation avec Gabrielle Roy », *La Revue populaire*, octobre 1951, p. 4.
4. Alice Parizeau, « La grande dame de la littérature québécoise », *La Presse*, Montréal, 23 juin 1967, p. 20.
5. « Mon héritage du Manitoba », *Fragiles Lumières de la terre*, p. 145. Dorénavant : *Lumières*.
6. *Lumières*, p. 147.
7. G. Roy, « Les Terres nouvelles de Jean-Paul Lemieux », *Vie des Arts*, 29, 1962, p. 39-43.
8. Lettre de G. Roy à monsieur Vanasse et à ses amis de l'ALCQ (Association des littératures canadienne et québécoise), *Studies in Canadian Literature*, 4, 1979, p. 103-4. Dorénavant : « Lettre ».
9. David Cobb, « Seasons in the Life of a Novelist : Gabrielle Roy », *Canadian*, Toronto, 1er mai 1979, p. 10.
10. Hind-Smith, *Three Voices*, p. 67.
11. François Ricard, *Gabrielle Roy*, p. 24.
12. *Lumières*, p. 151.
13. L'expression « deux solitudes » provient du titre du roman de Hugh McLennan, *Two Solitudes*, Toronto, Collins, 1945, où l'auteur traite du manque de communication entre Canadiens francophones et anglophones. Elle est maintenant d'usage courant.
14. Cobb, « Seasons », p. 10.
15. « Lettre », p. 102.
16. Cobb, « Seasons », p. 10.
17. « Lettre », p. 101.
18. Monique Duval, « Notre entrevue du jeudi », *L'Événement-Journal*, Québec, 17 mai 1956, p. 4-6.
19. « Témoignage », *Le Roman canadien-français*, Archives des lettres canadiennes, vol. 3, Montréal, Fides, 1964, p. 302-306 ; Marc Gagné, « Jeux du romancier et des lecteurs », *Visages de Gabrielle Roy*, p. 263-72 ; J.-P. Robillard, « Interview-éclair avec Gabrielle Roy », *Le Petit Journal*, Montréal, 8 janvier 1956, p. 48.
20. *Rue Deschambault*, p. 282.
21. Hind-Smith, *Three Voices*, p. 79.
22. Donald Cameron, « Gabrielle Roy, A Bird in the Prison Window », *Conversations with Canadian Novelists*, p. 130.
23. *Ibid.*, p. 131.
24. « Lettre », p. 103.
25. Jean Éthier-Blais, « Lumières », *Québec français*, 31, 1978, p. 49.
26. Paul Socken, « Gabrielle Roy as Journalist », *Canadian Modern Language*

Review, 30, 1974, p. 100.

27. Cameron, *Conversations*, p. 139.

28. G. Roy, « Le Pays de *Bonheur d'occasion* », *Le Devoir*, Montréal, 18 mai 1974, p. 8.

29. *La Montagne secrète*, p. 13. Dorénavant : *Montagne*.

30. Gérard Bessette, « Interview avec Gabrielle Roy », *Une littérature en ébullition*, p. 308.

31. Ricard, *Gabrielle Roy*, p. 91.

32. *Ibid.*, p. 92.

33. Éli Mandel, « Writing West », *Canadian Forum*, juin-juillet, 1977, p. 26.

34. Richard Chadbourne, « Two Visions of the Prairies : Willa Cather and Gabrielle Roy », *The New Land*, Waterloo, Wilfred Laurier University Press, 1978, p. 112.

35. Cobb, « Seasons », p. 14.

36. Cameron, *Conversations*, p. 140.

37. « Lettre », p. 104.

38. *Cet été qui chantait*, p. 175. Dorénavant : *Été*.

Chapitre II

1. Alan Brown, « Gabrielle Roy and The Temporary Provincial », *Tamarack Review*, 1, 1956, p. 61.

2. Brian Moore, « The Woman on Horseback », *Great Canadians*, Toronto, Canadian Centennial Library, 1965, p. 98.

3. David M. Hayne, « Gabrielle Roy », *Canadian Modern Language Review*, 21, 1964, p. 21-22.

4. Pierre Descaves, « Un grand prix littéraire français à une romancière canadienne », *Le Devoir*, 20 décembre 1947, p. 10-11.

5. Francis Ambrière, « Gabrielle Roy », *La Revue de Paris*, 54, 1947, p. 137 : « Elle a brossé... un tableau qui vaut pour tous les peuples du monde. »

6. H. Gueux-Rolle, « Préface », *Bonheur d'occasion*, Genève, Le Club du Meilleur Livre, 1968.

7. Hugo McPherson, « The Garden and the Cage », *Canadian Literature*, 1, p. 48.

8. Guy Sylvestre, « Bonheur d'occasion », *Revue de l'université d'Ottawa* 16, 1946, p. 220-21.

9. William Arthur Deacon, « Superb French-Canadian Novel is about Montreal's Poor Folk », *Globe and Mail*, Toronto, 26 avril 1947, p. 13.

10. W. E. Colin, « French-Canadian Letters », *University of Toronto Quarterly*, 15, 1946, p. 412.

11. Doris Lessing, *A Small Personal Voice*, New York, Alfred A. Knopf, 1974, p. 6.

12. W. B. Thorne, « Poverty and Wrath », *Journal of Canadian Studies*, 3, 1968, p. 4.

13. McPherson, « The Garden and the Cage », *Canadian Literature I*, p. 51.

14. G. Roy, « Germaine Guèvremont 1900-1968 », *Délibérations de la Société royale du Canada*, série 4, vol. 7, 1964, p. 75.

15. Hind-Smith, *Three Voices*, p. 78.

16. *Ibid.*, p. 82.

17. Cameron, *Conversations*, p. 133.

18. B. Lafleur, « *Bonheur d'occasion* », *Revue dominicaine* 51, 1945, p. 294.

19. Gilles Marcotte, *Une littérature qui se fait*, Montréal, HMH, 1962, p. 39 : « ... une fresque sociale ».

20. R. Robidoux et A. Renaud, *Le Roman canadien-français du vingtième siècle*, p. 80.
21. *Lumières*, p. 163.
22. Bessette, *Une littérature en ébullition*, p. 276 ; André Brochu, *L'Instance critique*, p. 221.
23. *Bonheur d'occasion*, p. 11. Dorénavant : *Bonheur*.
24. *Bonheur*, p. 271.
25. *Bonheur*, p. 303.
26. *Lumières*, p. 172.
27. *Bonheur*, p. 208-9.
28. *Lumières*, p. 173.
29. *Lumières*, p. 163.
30. *Lumières*, p. 163.
31. *Lumières*, p. 163.
32. Brochu, *L'Instance critique*, p. 233.
33. Bessette, *Littérature*, p. 229.
34. Gérard Bessette, « *Bonheur* », *L'Action nationale* 18, 1952, p. 55. Aussi B. Lafleur, *Revue dominicaine* 51, p. 295.
35. *Bonheur*, p. 332.
36. *Bonheur*, p. 374.
37. *Lumières*, p. 173-74.
38. Paul Socken : « Use of Language in *Bonheur d'occasion* », *Essays on Canadian Writing* II, 1978, p. 71.
39. W. C. Lougheed, introduction à *The Cashier*, Toronto, 1970, p. VII.
40. Joseph Conrad, « Books », *Notes on Life and Letters*, Londres, Heinemann, 1927, p. 117.
41. Élizabeth Janeway, « The Man in Everyman », *New York Times* Book Review, 16 octobre 1955, p. 5.
42. Margaret A. Heidemann, « Whipping Post », *Saturday Night*, Toronto, 26 novembre 1955, p. 18.
43. Gérard Tougas, *History of French-Canadian Literature*, p. 158.
44. Andrée Maillet, « *Alexandre Chenevert* », *Amérique française* 12, Montréal, 1954, p. 201.
45. Firmin Roz, « Témoignage d'un roman canadien », *Revue française de l'élite européenne* 6, 1954, p. 33.
46. R. M. Desnues, « Gabrielle Roy », *Livres et lectures* 32, avril 1951, p. 199.
47. Des détails sur ces trois nouvelles : « Feuilles mortes », « Sécurité », et « La Justice en Danaca » se trouvent dans *Gabrielle Roy*, Ricard, p. 76.
48. *Alexandre Chenevert*, p. 167. Dorénavant : *Alexandre*.
49. G. Dorion, « Gabrielle Roy », *Le Québec français* 36, 1979, p. 34.
50. Tougas, *History of French-Canadian Literature*, p. 153.
51. S. G. Perry, « A Twentieth-Century Everyman », *The Scotsman*, Edimbourgh, 111, 15 novembre 1956, p. 18.
52. *Alexandre*, p. 17.
53. *Alexandre*, p. 241.
54. Robert Weaver, « Canadian Fiction », *Queen's Quarterly* Kingston, 63, 1963, p. 129.
55. Heidemann, « Whipping Post », *Saturday Night*, Toronto, 26 novembre 1955, p. 18.
56. Gilles Marcotte, « Vie et mort de quelqu'un », *Le Devoir*, 13 mars 1954, p. 6.
57. John J. Murphy, « Visit with Gabrielle Roy », *Thought*, p. 449.

58. *Ibid.*

59. Janeway, *New York Times* Book Review, 16 octobre 1955, p. 5. Aussi K. John, « The Novel of the Week », *« The Cashier », Illustrated London News* 230, n° 6137, 19 janvier 1957, p. 120.

60. *Alexandre,* p. 148.

61. *Ibid.*, p. 78.

62. *Ibid.*, p. 316.

63. *Ibid.*, p. 191.

64. *Ibid.*, p. 215.

65. *Ibid.*, p. 321.

66. *Ibid.*, p. 353.

Chapitre III

1. Mary McGrory, « Annals of the Poor », *New York Times* Book Review, 20 avril 1947, p. 7.

2. Harold C. Gardiner, « Where Nests the Water Hen », *America,* 3 novembre 1951, p. 130.

3. Gilles Marcotte, « Gabrielle Roy retourne à ses origines », *Le Devoir,* 25 novembre 1950, p. 18.

4. Mary McGrory, « Wild Canada and Portrait of a Mother », *Catholic Standard,* 25 janvier 1952, p. 9.

5. Andrée Maillet, « Lettre à Gabrielle Roy », *Amérique française,* 3, 1951, p. 60.

6. William Arthur Deacon, « One Isolated Family in Northern Manitoba », *Globe and Mail,* 3 novembre 1951, p. 12.

7. Janet C. Oliver, « Poetic Novel of Northern Canada », *Every Sun,* Baltimore, 8 novembre 1951, p. 17.

8. F. Ricard, « Cet été qui chantait », *Liberté,* 14, 1976, p. 214-16.

9. Jean Éthier-Blais, *Le Devoir,* 11 novembre 1972, p. 16.

10. F. Ricard, « Critique », dans *Été,* p. 212-214.

11. F. Ricard, « Critique », dans *Été,* p. 212.

12. Éthier-Blais, « Critique », dans *Été,* pp. 214-215.

13. Ringuet, *La Revue populaire,* oct. 1951, p. 4.

14. *Ibid.*

15. *Ibid.*

16. Cameron, *Conversations,* p. 131-32.

17. B. K. Sandwell, « Perfection of Simplicity », *Saturday Night,* novembre 1951, p. 17.

18. Gordon Roper, introduction à *Where Nests the Water Hen,* Toronto, 1970, p. VI. Aussi : Willa Cather, « The Novel Démeublé », *On Writing,* New York, Alfred A. Knopf, 1962, p. 41-42.

19. G.-A. Vachon, « L'Espace politique et social dans le roman québécois », *Recherches sociographiques,* 7, 1966, p. 262.

20. G. Roy : « Souvenirs du Manitoba », *Le Devoir,* Montréal, 15 novembre 1955, p. 17.

21. *La Petite Poule d'Eau,* p. 89. Dorénavant : *Poule.*

22. *Poule,* p. 114, 124.

23. Annette Saint-Pierre, *Gabrielle Roy sous le signe du rêve,* Saint-Boniface, 1975, p. 67-81.

24. *Poule,* p. 243.

25. Paula G. Lewis, « Incessant call of the *Open Road* », *French Review,* 53, mai 1980, p. 822.

26. Anon, *« Cet été qui chantait », Châtelaine,* Toronto, septembre 1976, p. 8.

27. *Été*, p. 30.
28. *Été*, p. 175.
29. Paul Gay, « *Cet été qui chantait* », *Le Droit*, Ottawa, 30 décembre 1972, p. 13.
30. *Été*, p. 203.
31. F. Ricard, *Gabrielle Roy*, dans *Été*, p. 212.
32. F. Hébert, « De quelques avatars de Dieu », *Études françaises*, 1975, p. 348.
33. *Été*, p. 7.
34. « Ode à la joie », *Été*, p. III.
35. *Été*, p. 148.
36. *Été*, p. 153.
37. *Été*, p. 159.

Chapitre IV

1. *Rue Deschambault*, p. 8.
2. *Street of Riches*, jaquette arrière (édition en langue anglaise de *Rue Deschambault* seulement).
3. Colette, *La Naissance du jour*, Paris, Flammarion, 1928, p. 57.
4. Robert Cormier, « Touched with Tender Magic », *Worcester Sun Telegram*, 28 avril 1966, p. 10E.
5. Pierre Lagarde, « *Rue Deschambault* », *Les Nouvelles littéraires*, Paris, 29 septembre 1955, p. 3.
6. Pierre de Grandpré, *Dix ans de vie littéraire au Canada français*, p. 91-94.
7. Andrée Maillet, « Feuilleton littéraire », *Amérique française*, 13, 1955, p. 7-13.
8. Guy Robert, « *Rue Deschambault* », *La Revue dominicaine*, 61, 1955, p. 316.
9. Ted Honderich, « Gabrielle Roy — As She Once Was », *Toronto Daily Star*, 12 octobre 1957, p. 28.
10. Miriam Waddington, « New Books », *Queen's Quarterly*, 64, 1957, p. 628-29.
11. Gilles Marcotte, « Toutes les routes vont par Altamont », *La Presse*, Montréal, 16 avril 1966, p. 4.
12. David Helwig, « New Books », *Queen's Quarterly*, 74, 1967, p. 344.
13. André Major, « *La Route d'Altamont* », *Le Petit Journal*, Montréal, 17 avril 1966, p. 42.
14. Josephine Braden, « A Childhood in Manitoba », *Courier-Journal*, Louisville, Ky, 18 décembre 1966, p. 6D.
15. F. Ricard, *Gabrielle Roy*, p. 94, 115.
16. Samuel J. Hazo, « Gabrielle Roy, a True Teller of Stories », *Pittsburgh Press*, 6 octobre 1957, p. 21.
17. *La Route d'Altamont*, p. 260. Dorénavant : *Route*.
18. Élizabeth L. Dalton : « New Horizons », *Chattanooga Times*, 11 septembre 1966, p. 17.
19. Marcel Proust cité par Louis Dudek, *The First Person in Literature*, Toronto, CBC Publications, 1967, p. 42.
20. François Mauriac, *Mémoires intérieurs*, Paris, Le Livre de Poche, 1951, p. 4.
21. *Route*, p. 211.
22. Franz Hellens, *Documents secrets*, p. 151, cité par Gaston Bachelard, *La poétique de la rêverie*, Paris, Gallimard, 1963, p. 117.

23. Willa Cather, citée par Dorothy Van Ghent, *Willa Cather,* Minneapolis, University of Minnesota Press, 1964, p. 19.
24. *Route,* p. 57.
25. *Rue Deschambault,* p. 121.
26. Hans Meyerhoff, *Time in literature,* Berkeley, University of California Press, 1968, p. 48.
27. *Rue Deschambault,* p. 30.
28. *Route,* p. 173.
29. *Rue Deschambault,* p. 31.
30. *Rue Deschambault,* p. 44.
31. Samuel J. Hazo. Voir note 16, ci-dessus.
32. *Rue Deschambault,* p. 8.
33. *Rue Deschambault,* p. 147.
34. *Route,* p. 190.
35. *Rue Deschambault,* p. 107.
36. *Ibid.*, p. 111.
37. *Ibid.*, p. 134.
38. *Ibid.*, p. 134.
39. *Ibid.*, p. 240.
40. Adrien Thério : « Le portrait du père dans *Rue Deschambault* », *Livres et auteurs québécois,* 1969, p. 237-43.
41. Louis Dudek, *First Person in Literature,* p. 15-16.
42. *Route,* p. 245.
43. *Ibid.*, p. 28.
44. *Ibid.*, p. 58.
45. Cameron, *Conversations,* p. 142.
46. G. Bessette, « La Route d'Altamont », *Livres et auteurs canadiens,* 1966, Québec, Les Presses de l'université Laval, 1967, p. 19.
47. Nancy Friday a employé ce titre « My Mother/My Self » pour son étude psychologique sur « La quête de son identité par la fille » (« The Daughter's Search for Identity »), Pinebrook, N.J., Dell, 1977.
48. *Route,* p. 122.
49. *Ibid.*, p. 190.

Chapitre V

1. Albert Thibaudet, *Réflexions sur le roman,* Paris, N. R. F., 1938, p. 12.
2. Jack Warwick, *The Long Journey,* Toronto, University of Toronto Press, 1968, p. 92.
3. *Montagne,* p. 7.
4. John J. Murphy : « The Louvre and Ungava », *Renascence,* 16, 1963, p. 56.
5. David M. Hayne, « Gabrielle Roy », *Canadian Modern Language Review* 21, 1964, p. 24.
6. Constance Beresford-Howe, « Canada's Best Writer, Gabrielle Roy's New Novel Entertains », *Montreal Star,* 3 novembre 1962, p. 7.
7. Hugo McPherson, « Prodigies of God and Man », *Canadian Literature,* 15, 1963, p. 75.
8. François Soumande, *« La Montagne secrète », La Revue de l'université Laval,* 16, 1962, p. 450.
9. J.-L. Prévost, *« La Montagne secrète », Livres et Lectures,* Issy-les-Moulineaux, France, n° 173, 1963, p. 24.
10. Jean Éthier-Blais, *« La Montagne secrète », Le Devoir,* 18 octobre 1961, p. 11.

11. Raymond Las Vergnas, « À la recherche de soi », *Les Annales,* 70e année, nouv. série, n° 148, 1963, p. 33.

12. Michael Hornyansky, « Countries of the Mind II », *Tamarack Review,* 27, 1963, p. 85.

13. Phyllis Grosskurth, « Gabrielle Roy and the Silken Noose », *Canadian Literature* 18, 1963, p. 80.

14. F. Ricard, *Gabrielle Roy,* p. 105.

15. *Montagne,* p. 26.

16. Carl Gustav Jung, *Man and His Symbols,* Garden City, Doubleday, 1964, p. 27.

17. *Montagne,* p. 137.

18. *Montagne,* p. 131.

19. G. Bessette, *Trois romanciers québécois,* Montréal, 1973, p. 185-199, pour une interprétation psychologique de cet épisode.

20. *Montagne,* p. 213.

21. *Montagne,* p. 221.

22. Cameron, *Conversations,* p. 128-145 ; et « Souvenirs », *Lumières,* p. 141-197.

23. Rollo May, *The Courage to Create,* New York, Bantam, 1976, p. 87. « La créativité naît d'une rencontre et doit être conçue en fonction de cette rencontre. »

24. G. Bessette, *Littérature,* p. 307.

25. *Montagne,* p. 104, 144.

26. Carl G. Jung, *Man and His Symbols,* p. 151.

27. *Montagne,* p. 113.

28. Jean-Paul Sartre, *La Nausée,* Paris, Gallimard, 1938, p. 60.

29. *Montagne,* p. 13.

30. F. Ricard, *Gabrielle Roy,* p. 21.

31. Ringuet, « Conversations », p. 4.

32. *The Poetical Works and other Writings of John Keats,* édité par H. Buxton Forman, New York, Phaeton Press, 1970, vol. VI, p. 103.

33. *Montagne,* p. 203.

34. *Ibid.*, p. 28.

35. *La Rivière sans repos,* p. 182. Dorénavant : *Rivière.*

36. *Montagne,* p. 200.

37. May, *The Courage to Create,* p. 63. Voir note 23, ci-dessus.

38. *Montagne,* p. 103.

39. G. Roy, *Cahiers de l'Académie canadienne-française,* 13, 1970, p. 19.

40. *Montagne,* p. 217.

41. *Ibid.*, p. 221.

42. Cameron, *Conversations,* p. 144.

43. *Montagne,* p. 222.

Chapitre VI

1. Phyllis Grosskurth, « Gentle Quebec », *Canadian Literature,* n° 49, 1971, p. 84.

2. S. Swan, « Windflower », *Toronto Telegram,* 19 septembre 1970, section 3, p. 3.

3. Robert Dickson, « Un échec pour Gabrielle Roy ? », *Le Soleil,* Québec, 31 octobre 1970, p. 37.

4. Pierre-Henri Simon, « *La Rivière sans repos* », *Le Monde,* 25 février 1972, p. 13.

5. P. Sypnovitch, « Another Gem of a Book », *Toronto Daily Star*, 22 septembre 1970, p. 36.

6. Nicole Lavigne, *« La Rivière sans repos »*, *L'Équipe*, janvier 1971, p. 19.

7. Paule Saint-Onge, « Retour de trois grands écrivains féminins », *Châtelaine*, Montréal, décembre 1970, p. 10.

8. Jean Éthier-Blais, « Gabrielle Roy », *Le Devoir*, Montréal, 28 novembre 1970, p. 12.

9. Ray Chatelin, « Another Book Top Writer », *Province*, Vancouver, 13 novembre 1970, p. 23.

10. *Rivière*, p. 177.

11. *Rivière*, p. 261.

12. *Ibid.*, p. 315.

13. P. Sypnovitch. Voir note 5, ci-dessus.

14. *Été*, p. 93.

15. *Rivière*, p. 164.

16. *Ibid.*, p. 226-27.

17. *Lumières*, p. 199-233.

Chapitre VII

1. Chadbourne, « Two visions of the Prairie », *The New Land*, p. 112.

2. Carol Shields, « The Loneliness of the Half-Landed Immigrant », *Books in Canada*, novembre 1977, p. 35.

3. *Un jardin au bout du monde*, p. 9. Dorénavant : *Jardin*.

4. Paul Socken, « Fellowship », *Canadian Forum*, février 1978, p. 36.

5. Gabrielle Poulin, *« Un jardin au bout du monde »*, *Romans du pays*, Montréal, Bellarmin, 1980, p. 329.

6. *Jardin*, p. 25.

7. *Ibid.*, p. 50-51.

8. Robert Tremblay, « L'Émouvant et beau retour de Gabrielle Roy », *Le Soleil*, Québec, 28 juin 1975, p. 17.

9. *Jardin*, p. 155-56.

10. *Ibid.*, p. 8.

11. *Ibid.*, p. 82.

12. Dudek, *First Person in Literature*, p. 15-16.

13. Yves Thériault, « Ces enfants de la vie de Gabrielle Roy », *L'Express*, Montréal, 7 avril 1978, p. 8.

14. Gilles Marcotte, « Gabrielle Roy et l'institutrice passionnée », *Le Devoir*, Montréal, 24 septembre 1977, p. 15.

15. Thuong Vuong Riddick, « Gabrielle Roy dans la plénitude de son art », *Le Devoir*, Montréal, 20 octobre 1977, p. 20.

16. Gabrielle Poulin, « Une merveilleuse histoire d'amour », *Romans du pays*, p. 356.

17. William French, « Vignettes », *Globe and Mail*, Toronto, 24 février 1979, p. 38.

18. Jacques Godbout, « Gabrielle Roy », *Le Magazine Maclean*, septembre 1975, p. 77.

19. *Ces enfants de ma vie*, p. 139. Dorénavant : *Enfants*.

20. *Enfants*, p. 149.

21. *Ibid.*, p. 164.

Chapitre VIII

1. Monique Genuist, *La création romanesque chez Gabrielle Roy,* p. 11.
2. M.-L. Gaulin, « Le monde romanesque de Roger Lemelin et de Gabrielle Roy », *Le roman canadien-français,* Archives des lettres canadiennes, vol. III, Montréal, Fides, 1964, p. 143.
3. Claude Jasmin, *Éthel et le terroriste,* Montréal, 1983. (Coll. Québec 10/10).
4. Hugh MacLennan, *Return of the Sphinx,* New York, Scribner, 1967.
5. Cameron, *Conversations,* p. 136.
6. Jacques Dufresne, cité par Cobb dans « Seasons », p. 14.
7. Alice Parizeau, « Gabrielle Roy, la grande romancière canadienne », *Châtelaine,* Montréal, avril 1966, p. 120.
8. Émilia B. Allaire, « Notre grande romancière : Gabrielle Roy », *L'Action catholique,* Montréal, 5 juin 1960, p. 16.
9. Cameron, *Conversations,* p. 130.
10. *Ibid.*, p. 133.
11. *Ibid.*, p. 134.

Appendice

1. *La Détresse et l'Enchantement,* p. 6.
2. *La Détresse et l'Enchantement,* p. 7.
3. *La Détresse et l'Enchantement,* p. 8.
4. Georges Gusdorf, « Conditions and Limits of Autobiography » dans *Autobiography : Essays, Theoretical and Critical,* Ed. James Olney (Princeton : Princeton University Press, 1980) p. 35.
5. *La Détresse et l'Enchantement,* p. 454.
6. *La Détresse et l'Enchantement,* p. 454.
7. Gérard Bessette emploie ce terme en association avec son protagoniste dans *Le Semestre*.
8. *La Détresse et l'Enchantement,* p. 11.
9. *La Détresse et l'Enchantement,* p. 11.
10. *La Détresse et l'Enchantement,* p. 11.
11. *La Détresse et l'Enchantement,* p. 12.
12. *La Détresse et l'Enchantement,* p. 13.
13. *La Détresse et l'Enchantement,* p. 15.
14. *La Détresse et l'Enchantement,* p. 86.
15. *La Détresse et l'Enchantement,* p. 101.
16. *La Détresse et l'Enchantement,* p. 102.
17. *La Détresse et l'Enchantement,* p. 136.
18. *La Détresse et l'Enchantement,* p. 138.
19. *La Détresse et l'Enchantement,* p. 182.
20. *La Détresse et l'Enchantement,* p. 228.
21. *La Détresse et l'Enchantement,* p. 229.
22. *La Détresse et l'Enchantement,* p. 340.
23. *La Détresse et l'Enchantement,* p. 335.
24. *La Détresse et l'Enchantement,* p. 348.
25. *La Détresse et l'Enchantement,* p. 380.
26. *La Détresse et l'Enchantement,* pp. 391-392.
27. *La Détresse et l'Enchantement,* p. 455.

28. *La Détresse et l'Enchantement*, p. 468.
29. *La Détresse et l'Enchantement*, p. 486.
30. *La Détresse et l'Enchantement*, p. 485.
31. *La Détresse et l'Enchantement*, p. 490.
32. *La Détresse et l'Enchantement*, p. 496.
33. *La Détresse et l'Enchantement*, p. 496.
34. *La Détresse et l'Enchantement*, p. 505.
35. *La Détresse et l'Enchantement*, p. 505.
36. *La Détresse et l'Enchantement*, p. 505.

Bibliographie

Sources principales

S'il y a lieu, la date de l'édition originale est inscrite entre parenthèses.

1. Fiction pour adultes

Roy, Gabrielle. *Alexandre Chenevert*. Montréal, Stanké, (1954) 1979. (Coll. Québec 10/10)

_____. *Bonheur d'occasion*. Montréal, Stanké, (1945) 1978. (Coll. Québec 10/10)

_____. *Ces enfants de ma vie*. Montréal, Stanké, (1977) 1983. (Coll. Québec 10/10)

_____. *Cet été qui chantait*. Montréal, Stanké, (1972) 1979. (Coll. Québec 10/10)

_____. *De quoi t'ennuies-tu, Éveline ?* Montréal, Boréal Express, 1984.

_____. *La Montagne secrète*. Montréal, Stanké, (1961) 1978. (Coll. Québec 10/10)

_____. *La Petite Poule d'Eau*. Montréal, Stanké, (1950) 1980. (Coll. Québec 10/10)

_____. *La Rivière sans repos,* précédé de « Nouvelles esquimaudes ». Montréal, Stanké, (1970) 1979. (Coll. Québec 10/10)

_____. *La Route d'Altamont*. Montréal, Stanké, (1966) 1985. (Coll. Québec 10/10)

_____. *Rue Deschambault*. Montréal, Stanké, (1955) 1980. (Coll. Québec 10/10)

_____. *Un jardin au bout du monde*. Montréal, Beauchemin, 1975.

2. Récits divers

Gagné, Marc. « Jeux du romancier et des lecteurs », dans *Visages de Gabrielle Roy*. Montréal, Beauchemin, 1973, p. 263-72.

Roy, Gabrielle. « L'Arbre », essai dans *Cahiers de l'Académie canadienne-française,* 13. Montréal, Académie canadienne-française, 1970, p. 5-27.

_____. *Fragiles Lumières de la terre, écrits divers 1942-1970*. Montréal, Quinze, 1978.

_____. « Préface », dans *René Richard*. Québec, Musée du Québec, 1967, p. 3-6.

« Témoignage », dans *Le Roman canadien-français*. Archives des lettres canadiennes. Montréal, Fides, 1964, p. 302-6.

3. Livres pour enfants

Roy, Gabrielle. *Courte-Queue*. Montréal, Stanké, 1979. Illustrations de François Olivier.

———. *Ma vache Bossie*. Montréal, Léméac, 1976. Illustrations de Louise Pomminville.

Sources secondaires

1. Bibliographies

Gagné, Marc. « Bibliographie », dans *Visages de Gabrielle Roy*. Montréal, Beauchemin, 1973, p. 287-320. Utile ouvrage de références. Liste complète de l'œuvre jusqu'à *La Rivière sans repos*.

Socken, Paul. « Gabrielle Roy, an Annotated Bibliography », dans vol. I, édité par Robert Lecker et Jack David. Downsview, ECW Press, 1979, p. 213-63. Excellente source de références.

2. Livres et extraits de livres

Bessette, Gérard. « Correspondance entre les personnages et le milieu physique dans *Bonheur d'occasion* » et « Interview avec Gabrielle Roy », dans *Une littérature en ébullition*. Montréal, Éd. du Jour, 1968, p. 257-77, 303-8. Article stimulant d'un romancier et critique. Gabrielle Roy accepte difficilement l'interprétation qu'il donne de son œuvre.

———. « *Alexandre Chenevert* de Gabrielle Roy » et « *La Route d'Altamont,* clef de *La Montagne secrète* de Gabrielle Roy », dans *Trois romanciers québécois*. Montréal, Éd. du Jour, 1973, p. 185-99, 203-37. Étude stimulante de la motivation et des interprétations psychologiques.

Brochu, André. « Thèmes et structures dans *Bonheur d'occasion* », dans *L'Instance critique, 1961-1973*. Montréal, Leméac, 1974, p. 204-246. Étude significative. Selon Brochu, il existerait une opposition fondamentale entre les univers féminin et masculin de Gabrielle Roy, symbolisés respectivement par le cercle et la ligne droite.

Cameron, Donald. « Gabrielle Roy : A Bird in the Prison Window », dans *Conversations with Canadian Novelists*. Toronto, Macmillan, 1973, p. 128-45. Excellent. Gabrielle Roy discute de son œuvre et la commente abondamment.

Gagné, Marc. *Visages de Gabrielle Roy*. Montréal, Beauchemin, 1973. Étude sympathique et stimulante. Met en lumière l'optimisme de Gabrielle Roy et sa conception du progrès.

Genuist, Monique. *La Création romanesque chez Gabrielle Roy*. Montréal, Le Cercle du Livre de France, 1966. Excellente introduction aux premières œuvres de Gabrielle Roy.

Grandpré, Pierre de. « Le lait de la tendresse humaine », dans *Dix ans de vie littéraire au Canada français*. Montréal, Beauchemin, 1966, p. 91-94. Sympathique analyse de *Rue Deschambault*. Intéressantes comparaisons entre des auteurs francophones et anglophones.

Grosskurth, Phyllis. « Gabrielle Roy », dans *Canadian Writers and their Works*. Toronto, Forum House, 1972. Monographie qui comprend d'excellents résumés, très détaillés, des intrigues des divers ouvrages de G. Roy, jusqu'à *La Route d'Altamont*.

Hind-Smith, Joan. « The Life of Gabrielle Roy », dans *Three Voices*. Toronto, Clarke, Irwin, 1975, p. 62-126. Détails biographiques intéressants.

Ricard, François. « Gabrielle Roy », dans *Écrivains canadiens d'aujourd'hui*. Montréal, Fides, 1975. La meilleure de toutes les études disponibles. Extrêmement sympathique. Met en lumière les dichotomies ou « paradoxes insolubles » de l'œuvre de G. Roy et ses tentatives de recréer le monde de son enfance.

Robidoux, Réjean et André Renaud. *« Bonheur d'occasion » : le roman canadien-français du vingtième siècle*. Ottawa, Éd. de l'université d'Ottawa, 1966, p. 75-91. Souligne la complexité sans précédent de *Bonheur d'occasion* dans la littérature canadienne d'expression française. Analyse stylistique importante.

Saint-Pierre, Annette. *Gabrielle Roy sous le signe du rêve*. Saint-Boniface, Éd. du Blé, 1975. Matériel intéressant. Accent surtout mis sur les théories psychologiques.

Shek, Ben-Zion. *« Bonheur d'occasion »* et *« Alexandre Chenevert »* dans *Social Relations in the French-Canadian Novel*. Montréal, Harvest House, 1977, p. 65-111, 173-203. Étude de la littérature canadienne d'expression française des points de vue social, politique et économique. Apporte une nouvelle perception de l'œuvre.

Tougas, Gérard. *History of French Canadian Literature,* Toronto, Ryerson, 1968.

3. Articles

Blais, Jacques. « L'Unité organique de *Bonheur d'occasion* », dans *Études françaises,* 6, 1970, p. 25-50. Excellente analyse des structures. Répond au pessimisme d'André Brochu à propos des opposés irréconciliables. Concentre son attention sur Emmanuel et la conclusion du roman.

Brown, Alan. « Gabrielle Roy and the Temporary Provincial », dans *Tamarack Review,* 1, 1956, p. 61-70. Intéressant. Interprète l'œuvre selon un « dialogue entre l'innocence et l'expérience ».

Hayne, David M. « Gabrielle Roy », dans *Canadian Modern Language Review,* 21, 1964, p. 20-26. Excellente introduction aux premières œuvres.

Lafleur, B. *« Bonheur d'occasion »*, *Revue dominicaine,* 51, 1945.

LeGrand, Albert. « Gabrielle Roy ou l'être partagé », dans *Études françaises,* 1, 1965, p. 39-65. Article intéressant qui met l'accent sur les valeurs opposées.

McPherson, Hugo. « The Garden and the Cage : The Achievement of Gabrielle Roy », dans *Canadian Literature* 1, 1959, p. 46-57. Intéressante réponse à l'article d'Alan Brown. Sa conclusion : Alexandre Chenevert donne la clef de notre existence urbaine.

Marcotte, Gilles. « En relisant *Bonheur d'occasion* », dans *L'Action nationale,* 35, 1950, p. 197-206. Accentue les aspects universels et établit des comparaisons entre G. Roy et Péguy.

Murphy, John J. « Visit with Gabrielle Roy », dans *Thought, Fordham University Quarterly,* 38, 1963, p. 447-55. Bon. Intéressante discussion sur Alexandre Chenevert et la mort.

Parizeau, Alice. « Gabrielle Roy, la grande romancière canadienne », dans *Châtelaine,* Montréal, avril 1966, p. 44, 118, 120-22, 137, 140. Sympathique. Interview qui met l'accent sur le rôle de G. Roy, l'artiste, et celui de la femme dans la société contemporaine.

Ricard, François. « Gabrielle Roy, 30 ans d'écriture : le cercle enfin uni des hommes », dans *Liberté,* 18, n° 103, 1976, p. 59-78. Excellent. Étudie la tension existant dans l'œuvre de G. Roy entre l'idéal et la réalité.

Socken, Paul. « ‹Le Pays de l'amour› dans l'œuvre de Gabrielle Roy », dans *Revue de l'université d'Ottawa,* 46, 1976, p. 309-23. Intéressante discussion sur l'utopisme dans l'œuvre de G. Roy.

Thério, Adrien. « Le Portrait du père dans *Rue Deschambault* de Gabrielle Roy », dans *Livres et auteurs québécois,* 1969. Québec, Les Presses de l'université Laval, 1970, p. 237-43. Réponse sympathique à la critique selon laquelle les personnages masculins de G. Roy seraient moins complexes que les personnages féminins.

INDEX

Achevé d'imprimer au Canada
sur les presses de
l'Imprimerie Gagné Ltée
Louiseville